D0238080

LA BELLE
DE LA
NOUVELLE-ORLÉANS

Bibliothèque R
Résidence des Philanthropes

JAMES M. CAIN

LA BELLE
DE LA
NOUVELLE-ORLÉANS

(MIGNON)

Roman traduit de l'américain par
MICHEL LEBRUN

EDITIONS
LeNORDAIS

DU MÊME AUTEUR:

Le facteur sonne toujours deux fois
Serenade
Milfred Pierce
Le bluffeur
Assurance sur la mort
Au-delà du deshonneur
Dans la peau
Coups de tête
Galatée

LES ÉDITIONS LE NORDAIS (livres) LTÉE
Une filiale de: Les Placements Le Nordais Ltée
100, ave Dresden
Ville Mont-Royal (Québec) H3P 2B6
Tél.: (514) 735-6361

© 1962, James M. Cain, U.S.A., sous le titre: *Mignon*
© 1977, Éditions Guenaud, Paris, pour la traduction française
© 1981, Les Éditions Le Nordais (livres) Ltée, Ville Mont-Royal,
pour la version française, pour le Canada
Dépôts légaux, quatrième trimestre 1981:
Bibliothèque Nationale du Québec et
Bibliothèque Nationale du Canada
Tous droits réservés

ISBN 2-89222-001-7

ABRAHAM Lincoln fut porté à la présidence des Etats-Unis par les abolitionnistes en 1859. Son élection déclencha la Guerre de Sécession, suite à l'abolition de l'esclavage.

En réalité, la cause principale en fut l'opposition des intérêts entre le Nord et le Sud des Etats-Unis, les planteurs de coton du Sud tenant à conserver l'utilisation de leur main-d'œuvre noire gratuite...

Les Sudistes s'appelaient eux-mêmes les Confédérés, et les Nordistes les Fédéraux.

Après une série de revers et quatre années de lutte, les Nordistes finirent par l'emporter grâce au général Grant, qui prit la capitale sudiste, Richmond.

L'action de ce roman commence peu avant la fin de la guerre. Une partie de la Louisiane est occupée par les troupes nordistes. L'autre partie résiste encore, de plus en plus faiblement, tandis que les Confédérés, de plus en plus nombreux, collaborent avec l'occupant...

I

A la Nouvelle-Orléans, ce 9 février 1864, c'était le Mardi gras, mais ma participation à la liesse générale restait invisible à l'œil nu. Je me trouvais là, je logeais dans un bon hôtel, j'avais de l'argent dans les poches, mais aussi de bonnes raisons de me tenir tranquille. Tout d'abord, ma jambe blessée d'un coup de sabre, un souvenir de Chancellorsville qui m'avait valu ma démobilisation de l'armée, mais m'obligeait à marcher avec une canne et m'interdisait toute gambade, même modeste. Ensuite, il y avait mon associé dans l'affaire qui m'avait amené ici, et le travail qu'il m'avait laissé tomber sur la tête dans un moment d'aberration. C'était un lieutenant de marine du même âge que moi, vingt-huit ans, qui avait travaillé à mes côtés dans l'entreprise de travaux maritimes de mon père — Joseph Cresap et Compagnie, Annapolis, Maryland — lui manœuvrant le remorqueur, moi la sonnette, cet engin qui sert à enfoncer les pilotis. Au début de la guerre, nous nous étions engagés tous les deux, lui dans la marine, moi dans l'armée, nous perdant de vue un bon moment. Bien plus tard, alors que je moisissais au Jarvis Hospital de Baltimore, me remettant de ma blessure, je reçus une lettre de lui, expédiée depuis son bateau, l'*Eastport*, qui mouillait à Helena, Arkansas, laquelle m'exposait en long et en large l'idée mirifique de monter notre propre affaire de construction à la Nouvelle-Orléans, pour laquelle nous utiliserions les matériaux excédentaires de l'armée, quand ils seraient bradés comme surplus après la guerre. Ce projet m'excita aussitôt, car outre les avantages qu'il offrait, il cadrait parfaitement avec mon vieux rêve de participer aux grandes choses qui allaient se produire à l'embouchure du Mississippi, et sur lesquelles je reviendrai en temps utile. Jusque-là, je m'étais senti plutôt déprimé, mais cette lettre fit naître en moi un nouvel espoir, aussi je demandai de plus amples détails, et plusieurs lettres furent échangées de la sorte.

Tout ce que mon père, lui, vit dans ce projet, fut que Sandy s'était toujours bercé de chimères, et il me conseilla de bien regarder où je mettrais les pieds, si je ne voulais pas le regretter par la suite. Mais j'en avais assez de l'autorité paternelle et me sentais fort de l'approbation de ma mère qui me remit discrètement deux mille dollars. J'ajoutai cette somme à ma solde de l'armée, d'un montant sensiblement égal, et sautai dans le premier bateau pour la Nouvelle-Orléans ; Sandy, qui y passait quinze jours de permission, y avait retenu un appartement pour nous deux à l'hôtel Saint-Charles. C'est alors que nos ennuis commencèrent. En effet, au lieu des deux mille cinq cents dollars qu'il avait estimés suffisants, je m'aperçus très vite qu'il nous faudrait dix fois plus, sans tenir compte des taxes gouvernementales. Dans la construction, on a besoin de stocks, de matériel, d'un fonds de roulement pour les dépenses courantes ; il faut avancer tout l'argent comptant avant de récupérer le premier dollar sur l'investissement initial. Pour tout arranger, Sandy avait dilapidé le peu d'argent qu'il possédait dans un uniforme destiné à éblouir ses collègues officiers. Pour tout arranger, afin de regagner son affectation à la fin de ses deux semaines, il avait choisi un vapeur qui levait l'ancre le Mardi gras. Pour tout arranger, il avait disparu le matin du départ, ce qui m'obligea à faire ses bagages ; à son retour, il m'expliqua qu'il avait été « retenu chez Lavadeau où il avait fait ses adieux à tout le monde », Lavadeau étant le tailleur qui avait confectionné son uniforme. Pour tout arranger, quand je le fourrai dans un fiacre pour l'emmener au port, il pleuvait à torrents et je dus prendre l'omnibus de Canal Street pour rentrer. Pour tout arranger, une Cléopâtre obèse me battit du tambourin dans les oreilles pendant tout le trajet, et une mignonne petite fée m'aspergea le visage de farine.

Je ne me sentais donc guère euphorique quand je regagnai l'hôtel en fin d'après-midi, et une longue station dans la salle de bain, à m'extraire la farine des oreilles et du nez et à me demander où trouver vingt-cinq mille dollars n'arrangea rien. J'étais dans une telle fureur que, lorsqu'on frappa à ma porte, j'allai ouvrir tout débraillé, sans même songer à enfiler une robe de chambre. Dans le couloir se tenait une jeune femme accompagnée d'un homme ; elle égouttait son parapluie ; lui semblait pressé de partir.

— M. Cresap, je vous prie, dit-elle, me prenant manifestement pour un domestique.

— C'est moi, gommelai-je.

— Oh !

Elle semblait surprise, et je la comprenais. Pour elle, cet individu hirsute, en chemise de flanelle bleue sans cravate et pantalon de velours côtelé, devait davantage ressembler à un plombier qu'au client d'un palace. Mais elle se reprit très vite :

— Comment allez-vous. M. Cresap ? Je suis Mme Fournet, de chez Lavadeau. Le lieutenant Gregg vous a sûrement parlé de moi...

— Ma foi non, mais entrez, je vous prie.

L'homme se mit à baragouiner en français, la seconde langue utilisée en ville, et bien que je ne la comprenne qu'imparfaitement, je devinai que maintenant qu'il l'avait amenée à bon port, il devait filer. Il disparut en même temps que ma mauvaise humeur : une douce odeur de femme tiède et parfumée me monta aux narines quand elle passa devant moi pour entrer dans le salon. Je l'y suivis, fermai la porte et la débarrassai de son parapluie que j'allai déposer dans la baignoire. Puis je bondis dans ma chambre pour m'arranger un peu. Je mis une cravate, une veste, me parfumai légèrement et donnai un coup de brosse à ma tignasse. Même ainsi, l'homme qui se reflétait dans le trumeau me sembla mal équarri, trop grand et osseux pour manipuler une canne avec élégance, et outrageusement bariolé ; velours marron, flanelle bleue et cheveux de paille se mariaient assez mal. Mais si je manquais de beauté, ma visiteuse en avait largement pour deux. Quand je regagnai le salon, elle avait étendu sa pèlerine sur le radiateur et faisait nerveusement les cent pas, de sorte que je pus l'observer à loisir. De taille moyenne, elle était si parfaitement proportionnée qu'elle semblait toute menue ; elle me parut plus jeune que moi. J'appris plus tard qu'elle avait vingt-quatre ans. Son visage était pâle, ses joues creuses, signe de souci, ses cheveux bruns, ses yeux noirs, immenses et brillants. Mais c'était surtout sa silhouette qui coupait le souffle, dans cette robe noire froufroutante qui la moulait, lustrée à force de lavages, repassages et raccommodages, et mettait ses courbes en évidence. C'était doux, arrondi, émouvant, et révélait la Louisiane Française, la plus belle race de femme que j'aie jamais vue aux Etats-Unis.

Vu la direction que prenaient mes pensées, je jugeai bon d'y aller carrément, et lui demandai :

— *Mme* Fournet, avez-vous dit ? C'était votre mari, tout à l'heure, dans le couloir ?

— Oh, non, dit-elle avec confusion. C'était M. Lavadeau ; il m'avait accompagnée depuis le magasin. Le jour du Mardi gras, une femme seule n'est guère en sécurité dans les rues... Mon mari est mort, M. Cresap. Il a été tué au Fort Saint-Philip, au cours de la bataille contre la flotte de l'Union.

— Il faisait partie des Rebelles ?

— Mais oui. Les Rebelles tenaient le fort.

— Et vous ? Vous êtes une Rebelle aussi ?

— Eh bien... je ne sais pas. J'essaie d'obéir à la loi, puisque c'est l'Union qui commande. Mais dans le fond, je crois que je suis une Rebelle, comme vous dites. Oui, j'en suis une. Pourquoi ?

— Simplement pour savoir. C'est drôle que Sandy ne m'ait pas parlé de vous.

— Peut-être qu'il n'a pas voulu. Il a peut-être pensé que j'essayais de le séduire, tout s'est tellement bien passé le soir où nous avons fait connaissance... Mais ensuite, une fois qu'il a eu son uniforme, j'ai refusé de sortir avec lui, et il a peut-être cru à une coquetterie de ma part. A la réflexion, c'en était peut-être une ! Dans cette guerre, quand vous avez tout perdu et que vous devez quand même continuer à vivre, il vous arrive de faire toutes sortes de choses. Peut-être que je l'ai fait marcher sans le vouloir.

— Ainsi, vous êtes vendeuse chez Lavadeau ?

— A la commission. Je m'occupe surtout des uniformes.

— C'était vous, la raison de son retard, aujourd'hui ?

— Oui, nous avons parlé très longtemps...

Elle avait fini par s'asseoir, et se détendit petit à petit, mais sa poitrine tressaillait encore nerveusement au rythme de son souffle irrégulier. J'avais envie de la rasséréner totalement, et aussi de la confesser pour l'entendre parler encore. Elle avait une voix douce, un peu grave, avec un accent chantant du sud, beaucoup moins prononcé que le mien. Dans la région de Chesapeake Bay, nous avons un accent à couper au couteau, mais en Louisiane, du moins chez les gens de qualité, il n'en reste qu'une légère trace, quasi musicale. J'aurais pu l'écouter parler pendant des heures, mais je la sentais si tendue que je lui demandai :

— Que puis-je faire pour vous, Mme Fournet ?

— J'ai des ennuis, M. Cresap. J'ai besoin d'aide, et que cette aide me vienne de quelqu'un qui appartienne à l'Union. Quelqu'un d'honnête, de convenable, d'intelligent, comme Sandy m'a affirmé que vous l'étiez.

— Quel genre d'ennuis, au juste ?

— On a arrêté mon père.

— Sous quel motif ?

— Je l'ignore. Voilà l'ennui.

— Qu'a dit la police ?

— Ce n'est pas la police qui l'a arrêté. Ce matin, après mon départ de chez nous, des soldats sont venus, lui ont lu un papier et l'ont emmené. Je ne l'ai appris qu'il y a une heure, quand les gens à qui nous louons notre appartement ont réussi à trouver un messager et l'ont envoyé me prévenir. Je ne sais même pas où mon père est retenu.

— A mon avis, cette affaire concerne plutôt un avocat.

— Non, M. Cresap.

Elle vint jusqu'au sofa sur lequel j'étais assis, se pencha vers moi et chuchota :

— Nous avons un avocat, bien sûr, mais mon père travaille dans le coton, et en temps de guerre, c'est une activité dangereuse qui suscite des règlements de comptes au couteau. Il se pourrait même que notre propre avocat soit derrière cette arrestation... Ça peut être n'importe qui, même des amis que nous avons dans l'Union, M. Cresap ! Ne me prenez pas pour une écervelée qui raconte n'importe quoi. J'ai peur. En ce moment, à la Nouvelle-Orléans, on ne peut faire confiance à personne. C'est la raison pour laquelle je suis venue à vous, qui êtes un parfait étranger, et vous ai dit toute la vérité, ce que je n'oserais faire à personne d'autre dans cette ville.

— Qu'attendez-vous de moi ?

— Tout d'abord, que vous trouviez où est mon père.

— Ce ne devrait pas être trop compliqué. Quoi d'autre ?

— Que vous sachiez de quoi on l'accuse.

— Ça doit être sur le rapport. Quoi encore ?

— Eh bien, si je savais déjà cela, je saurais au moins sur quel pied danser. Je pourrais tenter de lui parler et essayer de le tirer d'affaire...

— Vous voulez que je le fasse libérer ?

— **Oh ! Si seulement vous vouliez !**

Depuis un moment, mon bras entourait sa taille, ce qui ne semblait point lui déplaire. Puis, quand je saisis les rubans sous son menton, les dénouai et lui ôtai son chapeau, elle se blottit un peu plus contre moi, regardant mon visage à la manière d'un petit chat cherchant à savoir si vous allez l'emmener dans la maison où le rejeter dans le froid de la rue. Lui tapotant la joue, je lui dis que j'étais très occupé par le travail que m'avait confié Sandy, mais que, pour une aussi jolie créature, je pourrais l'interrompre. Elle fit :

— Je suis au courant de votre affaire. Vous devez vous

12

procurer vingt-cinq mille dollars pour acheter du matériel afin d'installer des piliers de pont à l'embouchure du fleuve. Et pour tout vous dire, c'est la raison de ma visite. Sandy m'a affirmé que vous trouveriez cet argent, parce vous allez toujours jusqu'au bout de ce que vous entreprenez. J'ai besoin d'un homme tel que vous. Vous allez m'aider, n'est-ce pas ? Vous irez jusqu'au bout ? Vous ferez libérer mon père ?

— Pour vous.

— Non, parce que c'est juste. Il n'a rien fait de mal !

Soudain une larme apparut, et tout en l'essuyant elle murmura :

— Excusez-moi, mais il est tout ce qui me reste, depuis que ma mère s'est noyée pendant les inondations de 1849...

Je n'avais jamais entendu parler des inondations de 49, et elle dut le lire sur mon visage, car elle ajouta :

— Je veux dire la crue de la Red River. Nous sommes d'Alexandrie.

— Je vois, fis-je, puis je répétai : pour **vous** ?

— Pour moi, bien sûr. Faites-le pour **moi** !

— Et quelle sera ma récompense pour un tel service ?

Elle parut soudain terrifiée, et commença à parler d'argent, disant qu'elle n'en possédait pas beaucoup, mais que son père en avait, prix du coton vendu l'hiver précédent et qu'il me paierait « en conséquence ». Mais avant même de lui expliquer que je ne voulais pas parler d'argent, nous étions étroitement serrés l'un contre l'autre et nos bouches se mêlaient. Son baiser me répondit qu'elle savait ce que je voulais dire, mais je tenais à l'entendre de sa voix. J'insistai :

— C'est vous qui me paierez. Vous comprenez ?

— Eh bien, peut-être que ça ne me sera pas désagréable...

Elle avait chuchoté, un peu timide, un peu coquette, un peu grave aussi, ce qui appelait un nouveau baiser. Puis, enfouissant mon nez dans sa robe, je respirai à nouveau l'odeur qui m'avait frappée à son arrivée. Je lui demandai :

— Quel parfum utilisez-vous ? On ne dirait pas du parfum... Ça sent le chaud...

Elle me fourra un portefeuille sous le nez.

— C'est ce qu'on appelle du cuir de Russie. On le fait tremper dans de l'huile de lavande, ce qui l'assouplit et lui donne cette odeur. Ensuite, on le façonne et on l'incruste. J'ai un livre de prières identique, et aussi une Bible.

Puis, me reniflant :

— Vous sentez le vieux velours imprégné d'eau de cologne.

mais vous avez des yeux de porcelaine bleue, comme une poupée, et des cheveux de nordique.

— On dirait du foin mouillé.

— Non, Willie, j'ai envie de les caresser.

— Willie ? Qui vous a dit ce nom ?

— C'est ainsi que votre mère vous appelle, non ?

— Et vous croyez que je vais vous laisser...

— C'est joli. Ça convient à vos cheveux de vierge scandinave.

— Et comment vous appelait votre mère ?

— Par mon nom, Mignon. Vous pouvez, vous aussi, si vous le voulez.

A mesure que nos regards se croisaient, que nos souffles et nos odeurs se mêlaient de plus en plus étroitement, quelque chose d'intense s'éveillait en nous, aussi rompit-elle le charme, disant que le temps passait et que nous devions établir notre plan de bataille. Sur le papier à lettre de l'hôtel, elle écrivit le nom de son père, Adolphe Landry, et dit :

— Maintenant, je dois absolument retourner chez Lavadeau. C'est le jour le plus chargé de l'année, avec les locations de déguisements pour le Mardi gras. Si vous apprenez quoi que ce soit, venez me prévenir là-bas, le plus tôt possible, Willie, en tout cas avant la nuit. Je dois aller au bal d'Erato, et si je pouvais avoir des nouvelles avant, si je pouvais le voir...

C'est alors que nous eûmes notre première dispute. J'éclatai :

— Je trouve ça vraiment parfait ! Je vais aller battre la semelle sous la pluie, à essayer de retrouver votre père, et pendant ce temps-là, vous allez danser dans un foutu bal de Mardi gras !

— Willie, vous ne comprenez pas.

— Et cet Erato ? Qui est-ce, celui-là ?

— Ce n'est pas un homme. C'est une sorte de poétesse. Ce n'est que le nom d'une de nos fêtes. Mais voulez-vous m'écouter ? Il faut absolument que j'assiste à ce bal. D'abord, je suis en service commandé pour Lavadeau. Il me prête un déguisement, afin que je surveille ses autres costumes, que je fasse attention à ce que les gens ne les abîment pas quand ils auront trop bu. Mais ce n'est pas tout, Willie. L'homme qui m'emmène au bal est sûrement au courant pour mon père. Il connaît tout le monde à l'état-major, il doit savoir ce qui se passe. Pourquoi il n'est pas venu me voir ? Je vous l'ai dit, il n'y a personne dans cette ville sur qui je puisse compter. Je dois aller à ce bal avec lui pour écouter ce qu'il dira, et par-dessus tout éviter qu'il ne devine que je le soupçonne. Vous comprenez, maintenant ?

— D'accord, j'y suis.

— Donnez-moi mon parapluie, voulez-vous ?

Je le lui rendis, décrochai mon ciré, l'enfilai puis l'aidai à mettre sa pèlerine. Elle avait déjà remis son chapeau. Quand j'ouvris la porte, elle me reprit dans ses bras, murmurant :

— J'aimerais bien mieux rester ici avec vous... et vous payer.

Alors je sus, tandis que nous descendions l'escalier main dans la main, que le lien qui existait déjà entre nous était plus fort que tout ce que j'avais connu jusqu'alors avec une femme.

II

L E bâtiment de l'état-major se trouvait à l'angle de Carondelet et de Julia Street, à bonne distance, et j'eus la chance de trouver un fiacre. Après un dernier baiser, je déposai Mignon chez Lavadeau, Saint-Charles Street, et poursuivit ma route. On ne pouvait pas manquer Julia Street : la rue grouillait d'ordonnances gardant les chevaux des officiers. L'immeuble comportait trois étages, avec des balcons ouvragés, et une annexe de quatre étages en contrebas, si mal reliée au bâtiment principal que les trottoirs ne coïncidaient pas. Je voulais garder le fiacre, ignorant où mes recherches me conduiraient, mais le cocher refusa de m'attendre, craignant de manquer d'autres courses en ce jour de fête. Je le payai, demandai mon chemin à une sentinelle, et entrai. Ça ressemblait à n'importe quel quartier général : un fouillis de tables mal rabotées, de chaises pliantes et de cantines badigeonnées de bleu, avec un télégraphe de campagne cliquetant quelque part, aussi ne perdis-je pas de temps à admirer ce tableau, et, suivant les indications de la sentinelle, montai directement au deuxième étage. Je cherchais Dan Dorsey, un capitaine de ma connaissance, originaire comme moi d'Annapolis, et qui était l'aide de camp du général commandant la place. J'avais déjà renoué avec lui, quelques jours plus tôt, au bar de Cassidy, ce qui m'éviterait des préambules oiseux.

Quand j'émergeai de l'escalier, il était dans le couloir, donnant des ordres à un groupe d'hommes que j'identifiai comme des correspondants de guerre nordistes. Selon toute apparence, il les avait fait attendre, et ils n'appréciaient guère la station debout dans un corridor ouvert à tous vents. Mais Dan, un type massif qui, dans le civil, était juge au palais, ne se laissa pas monter sur les pieds, et rétablit l'ordre en moins de deux. Puis, m'apercevant, il me pilota jusque dans son bureau en grommelant :

— Pour le moment, je suis de leur côté. On leur a dit de venir pour une information. Le général devait leur annoncer qu'une élection aura lieu pour l'anniversaire de Washington. Mais on a eu des tas de choses à faire — en particulier, une section de l'Indiana, qui, avant de rentrer au pays, a donné une sérénade au général. Alors il a été obligé de leur faire un speech. Ça impliquait qu'il fallait ramener leurs officiers ici et leur offrir un vin d'honneur. Bref, ça a pris une heure, et on n'a toujours pas annoncé l'élection. Mais qu'est-ce que ça fout ? Tout se bouscule, ici, et à la moindre petite chose, tout le monde s'énerve. Qu'est-ce que tu veux, Bill ?

— Adolphe Landry, mon vieux. Ce nom te dit quelque chose ?

— Eh bien, je le connais. Il est détenu.

— Oui, mais où ?

— Ici même.

— A l'état-major ?

— Dans la salle de police, à l'annexe.

— De quoi est-il inculpé ?

— Il ne l'est pas encore. Juste retenu pour complément d'enquête. Je peux quand même te dire une chose, ce gars est très mal embarqué. Il a joué un jeu dangereux tout l'hiver, et il a fini par perdre la partie.

— Quelle sorte de jeu ?

— Le coup du parrain.

— Qu'est-ce que c'est que ce trafic ?

— Un nouveau truc qu'ils ont inventé pour tourner la loi, l'Acte de Confiscation de 1863. Ton Rebelle, enfin Landry, achète du coton à vil prix loin dans le sud, le charge sur un chaland, et l'emmène à travers les bayous en direction de la Nouvelle-Orléans. Alors voilà que nous l'interceptons dès qu'il entre dans nos lignes, nous l'amenons ici et nous l'entreposons, puis nous attaquons en justice afin d'obtenir sa confiscation comme prise de guerre. Mais alors, je te le donne en mille, voilà un négociant de l'Union qui se présente, nous agitant un papier sous le nez, un parrainage à son nom... autrement dit une lettre de vente, un contrat de son copain le Rebelle ! Et ce contrat est parfaitement en règle. La cour est obligée de reconnaître son bon droit, c'est un loyal serviteur de l'Union, et les loyaux serviteurs cultivent un loyal coton. Alors on lui rend sa camelote, frais de transport à notre charge jusqu'à la halle ; nous ne pouvons pas le faire payer pour une marchandise que nous avons mise sous séquestre arbitrairement ! Lui et son ami Rebelle n'ont plus qu'à partager les bénéfices ! Voilà le trafic auquel Landry s'est livré avec son associé, un Irlandais naturalisé qui s'appelle Frank Burke !

— De la manière dont tu le présentes, c'est légal.

— Ça l'est, Bill, mais il a dépassé les bornes. Landry s'est mis à utiliser l'argent gagné pour expédier des fournitures de l'autre côté, à Taylor, le commandant des Rebelles !

— Aïe ! C'est plus contestable.

— Il va trop loin, c'est tout.

— Jusqu'où, Dan ?

— D'après nous, il est en train de régler ses comptes avec les Rebelles, au sujet de ce qui doit se passer sur la Red River le mois prochain.

Je n'avais jamais entendu parler de cette affaire, et Ben se montra plutôt fuyant sur le sujet. Mais je réussis à lui tirer les vers du nez, et il commença à chuchoter :

— C'est une expédition qui va commencer en Louisiane de l'ouest, une sorte d'événement annuel. On en a réussi une l'an dernier, alors nous allons recommencer. Seulement cette fois, nous n'en voulons qu'au coton stocké là-bas — même Washington s'abaisse à utiliser le coup du parrain ! Nous n'avons aucun ordre officiel, mais on nous a passé le mot ; nous allons emmener les négociants avec nous sur le bateau de l'état-major, et nous laisserons faire les choses. Ils achèteront tout le coton des Rebelles grâce au fameux système. Nous ramènerons la marchandise ici, le tribunal marmonnera quelques formules cabalistiques, et tout le monde sera content — surtout les filateurs du nord, qui auront enfin de quoi faire tourner leurs machines, et même les Rebelles qui encaisseront le bon argent des marchands, et seront gagnés à notre cause, comme nous l'espérons.

Se levant, il alla jeter un coup d'œil sur le palier ferma la porte et vint me parler à l'oreille, d'un ton solennel :

— Bill, une guerre peut se gagner ou se perdre, dans l'honneur. Quand on essaie de l'acheter, ça porte un nom.

— Lequel ?

— Trahison. Ce coton, c'est de la dynamite.

— Du fulmi-coton, tu veux dire ?

Mais il n'avait pas le cœur à plaisanter.

— Ce coton est maudit, tu comprends ? Il ne peut nous amener que des ennuis. Ici, tout le monde le sait. Voilà pourquoi nous sommes tous si nerveux. C'est le coton qui a perdu Landry.

— C'est lui qui tient le coton de Red River, Dan ?

— Des centaines de balles, à ce qu'il paraît.

— Quelles fournitures a-t-il expédiées aux Rebelles ?

— Je n'ai pas le droit d'en parler.

— Allons ! Je croyais qu'on était amis !

— Je l'espère, Bill, mais il y a des limites à tout. Frank Burke, l'associé, l'Irlandais dont je t'ai parlé, me l'a demandé, et je n'ai pas pu le lui dire, à lui. A plus forte raison à toi. Sauf à un avocat mandaté, nous ne devons ouvrir ce dossier pour personne.

— Je suis l'avocat mandaté.

— Tu te fiches de moi, Bill !

J'étais le premier étonné par les mots que je venais de prononcer, mais je ne pouvais plus reculer, et poursuivis le bluff :

— Que pensais-tu que j'étais venu faire ? Je suis l'avocat officiel de M. Landry.

— Tu n'es même pas avocat !

— Il a déjà un avocat, mais dans une ville sous loi martiale, la famille tient à avoir un avocat militaire. Je suis ancien officier, j'ai participé à plusieurs procès, je me considère donc parfaitement qualifié.

— Mais il n'a pas de famille, rien qu'une fille, celle qui fréquente plus ou moins Burke...

— C'est elle qui m'a engagé.

— Bill, arrête de blaguer. Tu...

— Blaguer ? Mais nom de Dieu, tu...

Mais il m'interrompit d'une tape, bondit sur ses pieds, alla entrouvrir la porte, tendit l'oreille, puis repoussa le battant.

— Tu n'es pas fou, souffla-t-il, de hurler comme ça, avec tous ces journalistes à l'affût ? Tu tiens à ce que le monde entier soit au courant ?

Bien plus tard, quand je me rappelai cette scène, son regard inquiet devait me hanter, mais sur l'instant, rempli de mon sujet, je n'y attachai aucune importance.

— D'accord, dis-je, je resterai calme et discret. Mais il faut absolument que je voie ce dossier.

— Il est dans le bureau de l'officier rapporteur.

Quelques instants plus tard, il était de retour avec une grande enveloppe rouge de papier fort nouée d'un ruban. L'ouvrant, il en tira des papiers qu'il poussa vers moi, me laissant à peine le temps de les parcourir, mais essayant de m'aider.

— Epluche-les si tu veux, mais tout ça ne veut rien dire, c'est juste le bla-bla-bla administratif que nous rédigeons chaque fois qu'un dossier passe d'un service à l'autre. Mais voilà le point crucial que ton client réfute : une lettre anonyme qui est arrivée par la poste. Dans l'enveloppe épinglée ici. Nous sommes en train de vérifier les indications que nous donne cette dénonciation, c'est pourquoi nous n'osons rien faire avant d'avoir une certitude. La grosse erreur de Landry, c'est d'avoir utilisé trop de complices. L'un d'eux a retourné sa veste, et pas le plus instruit, d'après l'orthographe.

Il me tendit la lettre, rédigée au crayon sur du papier bon marché :

MSIEU GENERAL COMANDAN,   5 FEVR 1864
M. ADOLPHE LANDRY A ENVOYE DES SOULIERS A L'ARMEE REBELLE DE TAYLOR PAR BATTEAU A MORGANZA. SI VOUS ME CROYEZ PAS DEMANDER A EMIL BOSWAY EMPLOYE A MIFFLINS JOBERS. DETAILS SUIVRONT.

                              LOYAL PATRIOT

Ça me flanqua un coup, et je décidai de me retirer de cette affaire dès que j'aurais réussi à obtenir que Mignon visite son père. Mais avant que je puisse poser la question, il y eut un grand remue-ménage au-dehors, et Dan dut me quitter pour assister le général tandis que celui-ci s'adressait à la presse, puis l'accompagner chez lui à Coliseum Square. Prenant mon mal en patience, j'attendis presque une heure. Puis, dès son retour, nous reprîmes les choses où nous les avions laissées. Il ramassa sur une étagère un paquet qui renfermait son déguisement pour le bal costumé, et m'emmena aux nouvelles. Je le suivis le long d'un couloir, puis dans un petit escalier menant à l'annexe jusqu'à une porte où il gratta du bout des ongles. On ne frappe jamais à la porte d'une salle de garde à cause des hommes qui peuvent y dormir entre deux factions ; un caporal apparut, auquel il glissa quelques mots. Puis il se tourna vers moi :

— Il n'y a aucune consigne spéciale, donc les visites sont autorisées avant l'extinction des feux à dix heures moins le quart. Mais quelque chose me chiffonne. Burke est venu le voir, et s'il l'a fait, elle pouvait venir aussi. Alors, Bill, dis-moi, s'il est tellement ami avec Landry, pourquoi n'a-t-il pas dit à sa fille où il était ?

— J'étais en train de me poser la question.

Les ordonnances avaient rentré le cheval de Dan à l'écurie, aussi nous marchâmes sous la pluie jusqu'à Saint-Charles, où se produisit un curieux incident. Saint-Charles, le centre des réjouissances, grouillait d'une foule déchaînée, et il nous fallut nous frayer un passage parmi des bambocheurs ruisselants, dansant, braillant et chantant sous les lampions multicolores. Tout à coup surgit une sorcière chevauchant un balai qu'elle cravachait de toutes ses forces. Je me tournai vers Dan :

— Ta malédiction de Red River, lui criai-je.

Il avait disparu.

Par la suite, il jura qu'il m'avait dit au revoir en arrivant devant son hôtel meublé, et était allé enfiler son costume. Mais j'étais certain de n'avoir rien entendu, et après notre conversation, cela me fit une impression étrange.

III

LE magasin de Lavadeau comportait deux vitrines, l'une renfermant un amiral en cire, l'autre un général, tous deux aussi dignes qu'impavides, mais à l'intérieur, c'était une vraie maison de fous ; pirates, rois, reines, indiens, turcs, jongleurs et odalisques se bousculant dans un désordre indescriptible, se disputant les miroirs et criant qu'on vienne les ajuster. Ecrasé, ballotté, je réussis à garer mes pieds tout en cherchant des yeux la jeune fille que j'avais vue la dernière fois vêtue d'une robe boueuse et chiffonnée ; quand une apparition vint en dansant à ma rencontre, une Colombine en jupe noire ornée de volants de gaze, collant de soie, corselet de velours lacé, rose rouge dans les cheveux, escarpins rouges aux pieds et masque rouge à la main, je ne la reconnus même pas. Ce ne fut que lorsqu'elle me prit par le bras et me demanda s'il y avait du nouveau que je réalisai qui elle était. Même alors, elle me parut étrangère, avec ses joues fardées et ses yeux maquillés d'une touche de bleu. Quand je lui dis que j'avais trouvé son père et qu'elle pouvait aller le voir, ils s'ouvrirent tout grand, redevenant soudain les yeux que je connaissais. Elle bondit sur Lavadeau, lui parla en français, et bien qu'il fût entièrement cerné, la bouche remplie d'épingles, il fit un signe affirmatif, et elle disparut dans l'arrière-boutique. Puis elle fut près de moi à nouveau, couverte d'un domino rouge, son parapluie dans une main, sa pèlerine dans l'autre. Dans la rue, un capitaine John Smith et une Pocahontas descendaient justement d'un fiacre. Je l'aidai à y prendre place. Elle se serra tout contre moi, disant :

— J'étais sûre que vous le trouveriez !

Elle était si agitée que je remis à plus tard mon rapport détaillé, me contentant de l'embrasser.

Naturellement, une fois à l'état-major, le cocher exigea son argent et pendant que je le payais, la sentinelle appela le caporal, qui nous fit entrer aussitôt et nous mena directement au premier étage de l'annexe. Là, il frappa à une porte. Quand elle s'ouvrit, il nous laissa, disant :

— L'extinction des feux est à dix heures moins le quart.

Nous entrâmes dans une pièce blanchie à la chaux, cubique et froide, garnie d'un lit de camp, d'une chaise, d'une table, d'un chandelier et d'une fenêtre grillagée. L'homme qui nous avait ouvert était M. Landry qui, le premier moment de surprise passé, prit Mignon dans ses bras et commença à lui parler en français. C'était un homme d'une cinquantaine d'années, trapu, massif, avec le torse gonflé d'un pigeon ramier, un cou de rouge-gorge et une nuque épaisse, le tout donnant une impression de force physique peu commune. Il avait les mêmes yeux noirs que sa fille, une barbiche poivre et sel, une moustache grise en croc et un profil bien dessiné qu'elle avait hérité de lui. Il portait un pantalon gris, une redingote à basques et un gilet écossais, le tout de bonne coupe, ainsi qu'une écharpe. Quand elle nous présenta, il me serra la main et m'offrit son unique chaise, s'asseyant avec elle sur le lit. Ils continuèrent de chuchoter en français ; il semblait las. Elle était adorable à la lueur des bougies. Quand elle se pencha pour lui caresser la joue, son domino s'entrouvrit, laissant voir ses jambes splendides. Une ou deux fois, je saisis le nom de Burke, qu'ils prononçaient Bourke, à la française.

Puis, soudain, il se tourna vers moi :

— M. Cresap, je tiens à vous exprimer ma gratitude pour l'aide que vous avez apportée à ma fille, mais je vous dois une explication. Je suis retenu ici sans motif, comme le permet la loi martiale, et je pense être victime d'une erreur. Je suis négociant en coton, commerce qui est parfaitement légal, mais n'en est pas moins désapprouvé sous certains aspects par les autorités d'occupation, ce qui les amène à encourager d'une main et à persécuter de l'autre — comportement à peu près inévitable vu les circonstances. C'est pourquoi j'étais convaincu que je serais rapidement libéré. Aussi j'ai demandé à mon associé, M. Frank Burke, dont vous avez probablement entendu parler, de ne rien dire à ma fille afin de ne pas l'alarmer ou de gâcher son Mardi gras. Mais elle s'est inquiétée quand même, et est allée vous trouver.

— Ce fut un plaisir, lui répliquai-je.

— Et je m'étais trompée, grâce à Dieu, dit-elle tournée vers moi, en soupçonnant ses amis de l'avoir trahi !

— Nous voici tous soulagés.

Là-dessus, il entreprit de m'expliquer le commerce du coton, mais le temps pressait, et je tenais à dissiper toute équivoque. Je l'interrompis :

— M. Landry, ceci n'a rien à voir avec le coton. Ils vous ont arrêté pour avoir expédié des souliers à Taylor.

— Que dites-vous, M. Cresap ?

— Des souliers aux Rebelles. Quelqu'un a écrit une lettre anonyme affirmant que vous avez envoyé un bateau de souliers, à Morganza, je crois, destinés à l'armée de Taylor.

— C'est absolument ridicule !

— Je ne fais que répéter ce qu'il y avait dans la lettre.

Son visage, jusqu'ici viril et énergique, sembla s'amollir de consternation, et il dit :

— J'ai bien envoyé des souliers par la rivière. J'avais fait quelques bénéfices dans le coton, et j'ai eu l'idée de les partager avec des gens plus pauvres que moi, des soldats Confédérés libérés sur parole de Port Hudson, qui sont rentrés chez eux pieds nus. J'ai envoyé ces souliers comme cadeau de Noël, aux bons soins d'un ami, un négociant de Morganza que j'avais prié de les distribuer en mon nom. Je n'ai jamais conclu aucun accord avec Taylor !

— Alors il est possible qu'il ait intercepté la cargaison.

— Dans ce cas, qu'y puis-je ?

Je le sentais sincère, mais je sentais aussi qu'il y avait quelque chose dans cette histoire de souliers qu'il ne disait pas, et qui lui faisait perdre son sang-froid. Puis Mignon reprit son chuchotement et quand elle demanda : « qui d'autre aurait pu être au courant ? » j'eus une intuition. Il lui donna un coup de coude, et elle se remit à parler français, mais j'entendis à nouveau le nom de « Bourke », prononcé cette fois avec hargne, et conclus qu'il y avait bien eu un coup en dessous, qui pourrait avoir des conséquences désastreuses. Car le transport de chaussures pouvait être (comme il le disait) une chose totalement innocente, mais qui, présentée de façon tendancieuse, pouvait aussi bien passer pour un forfait particulièrement odieux. Toutefois, comme il n'en parlait manifestement plus, je décidai de tenir ma langue, car ce n'était pas mon problème. Mais cela me ramena à ma propre situation, que je n'avais pas encore abordée et qu'il fallait bien tirer au clair. Je pris la parole :

24

— M. Landry, il faut que vous sachiez que jusqu'ici, je me suis fait passer pour votre avocat.

J'exposai alors ma discussion avec Dan et conclus :

— Au sens strict du terme, je n'ai pas menti, puisque Mme Fournet m'avait engagé, en qualité de proche parente, et bien sûr, je peux continuer à vous aider dans la mesure du possible. Mais pour agir officiellement, j'ai besoin de votre autorisation directe.

— M. Cresap, donnez-moi le temps de la réflexion.

— C'est que le capitaine Dorsey est mon unique répondant...

— Pardon ! s'écria Mignon. Moi aussi, je réponds de vous !

Puis, à son père !

— Tu n'as pas besoin de réfléchir ! Il est merveilleux ! Regarde ce qu'il a déjà obtenu ! Ce n'est pas un de ces gandins d'avocats beaux parleurs !

— J'ai déjà réfléchi.

Levant la main, il prit la mienne et me broya les articulations.

— M. Cresap, j'ai bien une centaine d'amis, ici même à la Nouvelle-Orléans, et pas un seul sur qui je puisse compter. C'est ainsi quand le commerce du coton devient presque illégal et que des intérêts s'y interposent. Et voici que vous, que je n'avais jamais vu il y a une demi-heure, et ma fille, êtes mon unique espoir. Je me considère comme un homme heureux.

L'instant était émouvant, tellement que je crus honnête de lui dire :

— Encore une chose. Vous devez savoir que je n'agis que pour faire triompher la justice, et laver de tout soupçon un homme injustement accusé. C'est une question de principe. Mais je le fais aussi pour plaire à votre fille.

— Je m'en étais déjà rendu compte.

— Je n'ai pas peur de dire qu'elle me plaît beaucoup.

— Monsieur, je la trouve moi-même fort séduisante.

— Mes intentions sont sérieuses, M. Landry.

— Ceci n'est pas pour me déplaire.

Elle lança :

— N'est-ce pas qu'il a des cheveux de viking ?

— Ma chérie, pour moi ce sont simplement des cheveux.

Il avait répondu un peu sèchement, pour en terminer avec ce sujet. Il y eut un silence, puis je dis :

— Il y a encore autre chose. Je vais essayer de mettre la main sur l'auteur de cette lettre anonyme, quel qu'il soit. Il ne doit en aucun cas soupçonner que je le recherche, vous comprenez ?

— Évidemment, dit-il. Tu entends, ma fille ?

— J'aimerais le tuer, répondit-elle.

— Tu n'aboutirais qu'à provoquer ma mort.
— J'ai compris, n'aie crainte.

Sur le chemin du retour, il nous fallut marcher. Je l'empaquetai dans sa pèlerine et la recouvris de mon ciré, tandis qu'elle m'abritait de son parapluie. Elle me fit passer par Carondelet pour éviter la foule déchaînée, et là m'entraîna sous une porte cochère pour y parler à l'abri. Elle murmura :
— Vous avez compris, bien sûr, Willie ? Il soupçonne Frank Burke.
— Vous couchez avec lui ?
— Si je... Willie, comment pouvez-vous me poser une question pareille ?
— Je peux le faire. Je l'ai fait. Répondez-moi.
— Bien sûr que non !
— Pourtant, vous l'avez fréquenté !
— Je suis sortie avec lui, est-ce un crime ?
— Si c'était pour le séduire, oui.
— Willie, l'automne dernier, quand mon père s'est retrouvé avec une pleine malle de reçus concernant son coton d'Alexandrie, signés par des gens à qui il avait rendu service pendant la guerre, et que ces reçus ne valaient rien — ce que savaient parfaitement ceux qui les lui avaient donnés — il a été à deux doigts du suicide. Mais j'avais entendu parler de cette invasion prochaine, qui changerait ces papiers sans valeur en or, à condition que nous trouvions quelqu'un, un membre de l'Union, qui nous représente au tribunal, un aval, comme on dit. Et Frank Burke venait juste de revenir du Mexique, où il importait du coton du Texas. C'était lui l'homme le plus en vue, et il connaissait la partie. Alors je me suis débrouillée pour le rencontrer. Et je me suis présentée moi-même, au foyer du théâtre Saint-Charles.
— Vous lui avez fait du charme ?
— Je l'ai invité à la maison pour lui présenter mon père !
— Mais vous avez commencé à sortir avec lui ?
— Willie, Frank Burke joue le jeu ! Il me baise la main, m'envoie des fleurs, m'adresse des compliments mielleux, mais tout ce qui l'intéresse, c'est l'argent.
— Dans ce cas, pourquoi s'est-il associé avec votre père ?
— Mon père m'a expliqué cela tout à l'heure. C'est ce qu'il me disait en français. La Nouvelle-Orléans est sous loi martiale, et savez-vous ce qu'ils font dans des cas semblables ?
— En Maryland, ils auraient tout confisqué.
— Oui, mais ici, avant de confisquer, il faut aller en justice.
— Je ne comprends pas, Mignon.

26

— Ils suspendent la peine de prison si l'accusé ne se défend pas et déclare tout l'actif qu'il possède.

— Je commence à y voir clair. Continuez.

— Eh bien, il peut déclarer son stock, ce qui le tirera de prison. Ils pourront le saisir dès qu'ils occuperont Alexandrie. Mais la plus grosse fortune de mon père, c'est sa part d'association avec Burke. Vous comprenez, Willie ? La totalité du coton a été vendue, tous les reçus sont en possession de Burke, qui est intouchable, et un contrat a été établi, attribuant une moitié à Burke et l'autre à mon père. Si mon père déclare sa part, on la lui confisque, c'est pourquoi il ne la déclarera pas. Mais s'il ne la déclare pas, il perd tout. Il ne pourra jamais attaquer Burke en justice !

— A combien est évalué ce stock de coton ?

— Nous avons trois cent vingt-sept balles, ce qui représente cent vingt mille dollars, tous frais déduits.

— C'est un joli pot à ramasser.

— Soixante mille dollars de plus pour Frank s'il se débarrasse de mon père...

J'avais fini par tout comprendre, mais nous étions loin de savoir ce qu'on pouvait faire. Toutefois, dans l'immédiat, nous finîmes par admettre, bien que cela ne nous plaise guère, que puisqu'elle avait promis de l'accompagner au bal, elle devait y aller comme si de rien n'était. Il fallait aussi trouver une explication à mon entrée dans le jeu, qui n'éveille pas les soupçons de Burke, et ce n'était guère aisé. Je finis par dire :

— Je crois que j'y suis. Vous lui direz tout ce qui s'est passé, que vous êtes venue me trouver en désespoir de cause parce que vous n'aviez pas de nouvelles de lui, à la suite des histoires de Sandy Gregg. Mais dès que vous m'avez embauché, vous le regrettez. J'ai menti en me prétendant avocat militaire. De plus, vous trouvez bizarre la façon dont je veux être payé — cent dollars tout de suite, et cent cinquante plus tard, avalisés par quelqu'un de sérieux, avant que je lève le petit doigt. Si vous lui présentez l'affaire comme cela, non seulement il ne se méfiera pas de nous, mais il portera tous ses soupçons sur moi, et il aura envie de me voir. Il entrera en contact avec moi, et ce sera à moi de jouer.

— Très bien, Willie. Deux cent cinquante dollars. Et quoi d'autre ?

Je lui dis de m'établir dès que possible une liste des boutiques où l'on pouvait se procurer des rames de papier bon marché.

— C'est le genre d'achat dont un vendeur de papeterie devrait se souvenir. Si j'arrive à découvrir l'endroit où il s'est procuré ce papier, j'aurai un commencement de preuve. Mais il m'en faudrait bien davantage. Je devrais obtenir que l'armée aille perquisitionner chez lui pour y trouver des enveloppes, des lettres, des carnets, mais d'abord, je dois être certain que c'est chez lui. Où habite-t-il ?

— Au City Hotel.

— Ah, ah ! On entre facilement dans les chambres d'hôtel.

— Peut-être pas dans la sienne. Il m'a dit qu'il avait un gippo — c'est du dialecte irlandais. Qu'est-ce que c'est qu'un gippo ?

— Jamais entendu parler, Mignon.

— J'ai l'impression que c'est un homme, mais ça pourrait tout aussi bien être un chien de garde...

— Homme ou chien, on peut toujours s'en débarrasser.

— Mais quand Burke est absent, **ça** reste dans sa chambre.

— Comment le savez-vous ? Vous êtes allée dans sa chambre ?

— Non, Willie, je vous le jure ! Il m'en a seulement parlé !

Cette nouvelle escarmouche ne dura qu'un instant, et nous nous étreignîmes encore plus violemment. Elle dit :

— Il est presque neuf heures, et je dois m'en aller, Willie. J'ai tout prévu pour qu'il ne me ramène pas chez moi ; il est trop facile pour un homme de s'introduire dans un appartement vide. Le Mardi gras, toutes les festivités s'arrêtent à minuit, alors je vais lui demander de me ramener à la boutique pour y changer de vêtements. Je passerai la fin de la nuit avec Véronique Michaud, une de nos couturières. Cette formule vous satisfait-elle ?

— J'avoue que je me posais des questions.

— Alors embrassez-moi. Et dites-moi que vous m'aimez un petit peu...

— Je vous aime comme un fou !

A Saint-Charles, Mignon me désigna la salle de bal, presque en face de chez Lavadeau, non loin du Pickwick Club. En approchant du magasin, elle me fit voir à travers la vitrine, au-delà de l'amiral en cire, un grand type costaud habillé en mexicain, qui parlait avec Lavadeau.

— C'est lui, souffla-t-elle.

— Je le hais jusqu'à la moelle !

Eclatant de rire, elle se glissa hord de mon ciré, me le rendit, me lança un baiser du bout des doigts et s'engouffra dans la boutique. Je m'apprêtais à rentrer chez moi, mais l'idée me vint de profiter de l'absence du chat. Restant dans Common Street, je marchai jusqu'à Camp et pénétrai dans le City Hotel. C'était un établissement agréable, moins luxueux que le Saint-Charles, mais d'une bonne classe, et présentement très gai et bourré de gens travestis.

Je m'inscrivis sous le nom de William Crandall, d'Alger, Louisiane. Mes bagages, expliquai-je, avaient été retardés, mais je paierais deux nuits d'avance. L'employé prit mon argent, m'inscrivit dans son registre de police, sonna un groom et lui remit ma clef, que je lui repris aussitôt :

— Je monterai plus tard.

A nouveau dans les rues détrempées, je remontai Common Street remarquant au passage une quincaillerie. Elle était fermée, mais il y avait une inscription en bas et à gauche de la vitrine :

SERRURIER
Locksmith

Au Saint-Charles, je me fis monter de la bière et des sandwiches, et me dis tout en mastiquant :

— Pourquoi diable t'es-tu fourré dans cette histoire ? Tu étais censé trouver vingt-cinq mille dollars...

IV

BURKE débarqua au Saint-Charles le lendemain matin, bien plus tôt que je ne l'aurais espéré. J'avais donné mes vêtements de la veille à repasser, enfilé mon costume sombre, et filé chez le serrurier pour lui commander un passe-partout identique à ma clef du City Hotel, en vue de la visite domiciliaire que je mijotais. Au retour, je pris mon petit déjeuner au bar ; quand je regagnai ma chambre, Burke se trouvait dans le couloir, en train de frapper à ma porte. Avec son complet de tweed, son chapeau de toile, ses bottines marron, son manteau de pluie sur l'avant-bras, il semblait encore plus grand que la veille dans son costume chamarré. Je m'exclamai d'un ton cordial :

— M. Burke, sans doute ? Bienvenue dans mon humble demeure, je suis très flatté de votre visite.

Son visage de lune rousse se fendit d'un sourire, et il me tendit la main, exprimant « son vif plaisir de rencontrer notre bon Samaritain ». Il avait l'accent irlandais, bien sûr, mais assez peu prononcé, et je suis obligé de reconnaître qu'à l'exception de certains idiotismes tels que « aye » pour « oui » il maniait la langue anglaise avec une parfaite distinction, ce qui ne l'empêchait nullement de tenir des propos orduriers quand il cessait de se surveiller.

Mais pour l'instant, il était la grâce même, disant avec le plus profond respect :

— Puis-je avoir un entretien avec vous, mon garçon ? Ce

pauvre Adolphe est mon ami tout autant que mon associé, et je pense que nous devrions nous concerter à son sujet.

— Certainement, dis-je en ouvrant la porte, entrez.

J'accrochai son chapeau et son manteau dans l'armoire et lui offris un siège. Il préluda par des remerciements.

— Merci pour tout ! Non seulement pour Adolphe mais aussi pour la chère petite, Mme Fournet. C'est elle qui m'a tout raconté.

— Avant que vous n'alliez au bal ?

— Aye. Nous sommes arrivés sur le tard, mais notre entrée a fait sensation, elle en Tulipe Noire, moi en cardinal de Tipperary. Je portais une tenue splendide, tout en velours rouge, que j'avais achetée il y a longtemps pour un bal au Mexique. Le chapeau est garni de clochettes, et pour un peu ça vous jouerait *la Paloma* !

— Vous avez donc séjourné au Mexique ?

— Pendant le boom du coton, au début de la guerre. A Matamoros et Bagdad. Je n'ai pas trop mal réussi, ma foi.

— On raconte que votre fortune grimpe jusqu'au ciel...

— Le ciel ? Mon garçon, il est rempli de mirages, avec des minarets, des palmiers et des danseuses mauresques nues comme le jour de leur naissance. Ah ! Bagdad mérite bien son nom !

— Où est-ce situé exactement ?

— Sur la rive mexicaine, à l'embouchure du Rio Grande.

— Ça doit être un endroit assez étonnant.

— Le trou du cul du monde occidental. Un tas de baraques sur pilotis, les unes en adobe, les autres en toile à sac, peuplé de matelots, de maquereaux et de *muchachas,* tous saouls comme des cochons du matin au soir ; mais de temps en temps, les rues sont pavées d'or.

— D'or extrait du coton ?

— Aye.

Il fanfaronnait, adorait se mettre en valeur, et, à force de l'étudier, il m'apparut que la dernière des choses à faire, si je voulais détourner ses soupçons, était de me comporter en homme honnête et sérieux. Devant mon expression attentive, il continua l'énumération de ses exploits, les fortunes ramassées au Mexique en l'espace de quelques mois, et la milice privée qu'il utilisait pour veiller sur son or. Au passage, il évoqua un certain Paddy Milmo :

— Un associé qui a honteusement abusé de ma confiance, mais j'ai tout de même réussi à filer avec ma part (cent mille dollars en or) malgré tous ses sacrés *soldados* qui m'ont cherché une nuit entière pour m'enfermer dans la *picota* et me faire dévorer par les punaises !

De toute évidence, il était obsédé par les « associés abusant de sa confiance ». Il en voyait absolument partout. Mais, l'ayant laissé me raconter encore quelques histoires de brigands, en manifestant une vive admiration, je commençai à me vanter aussi. Je lui parlai des mille dollars ramassés en une journée à Chestertown, sur un dragage urgent exécuté pour des horticulteurs de Chester River ; leur embarcadère s'était ensablé, de sorte que les vapeurs ne pouvaient plus pénétrer dans le port pour embarquer la récolte. Si rien n'était fait, ils couraient à la ruine.

— Alors, dès que les papiers ont été signés, et l'argent mis en dépôt, je leur ai dit : « Messieurs, vous pouvez jauger. Notre contrat prévoit sept pieds de flottaison, et je pense que maintenant, vous les avez. » Alors, par-devant témoins, ils sont partis en barque, avec un chiffon rouge attaché au bout d'une canne à pêche. Et chaque fois qu'ils ont enfoncé leur bambou, la profondeur y était. Ils n'ont pas eu le choix, il a fallu qu'ils payent. Mais ce qu'ils ignoraient, c'est que, pendant que nous établissions les contrats à la banque, Sandy Gregg, le capitaine de mon remorqueur, avait fait tourner l'hélice du moteur le long du quai. L'hélice a dissous la vase, et la marée l'a entraînée. On a ramassé mille dollars net pour deux heures de travail sans quitter le bateau !

— Mais vous aviez sauvé la récolte de vos amis !

— Ils étaient fous de rage d'avoir été possédés !

Il éclata de rire, puis s'exclama :

— Vous êtes un gars dans mon genre ! Faire payer les gogos, et si ça ne leur plaît pas, qu'ils aillent se faire voir !

— Ils n'ont payé que parce qu'ils ne pouvaient pas faire autrement.

— Aye ! Vous aviez fait consigner l'argent ?

— Je le fais toujours. C'est ma meilleure garantie.

Il m'examinait très attentivement de son petit œil gris légèrement chassieux. Il finit par dire :

— Si vous faites allusion à vos honoraires de conseiller pour Adolphe, vous n'avez aucune inquiétude à avoir, à condition que j'accepte vos suggestions. Je vous écoute.

Il commençait à devenir agressif, ce qui prouvait que je l'avais appâté ; si je ne commettais pas de fausse manœuvre, il allait tomber dans mon filet. C'était le moment de lui sortir, d'après ce que m'avait révélé Mignon, ce qui allait devenir le nœud de cette partie de voleur-volé :

— Eh bien, M. Burke, j'ignore si vous accepterez, mais en ce qui me concerne, ayant pris connaissance de la lettre anonyme, m'étant entretenu avec M. Landry et possédant une certaine expérience de la question, j'affirmerais qu'il est innocent, quoique assis entre deux chaises. Je veux dire que même s'il n'a rien fait, il n'a aucun moyen de le prouver. Donc, l'unique solution est de plaider pour en finir.

Son œil humide se mit à briller de cupidité :

— Vous le pensez vraiment, mon gars ? Vous parlez sérieusement ?

— A quoi bon se leurrer, M. Burke ?

— J'avais eu la même idée !

— Ils peuvent confisquer ses biens, mais ils l'auraient fait de toute façon.

— Il pourra au moins sortir de prison !

— C'est l'essentiel, n'est-ce pas ?

— De plus, mon garçon, qu'a-t-il à perdre ? Son entrepôt d'Alexandrie, qu'on ne pourra lui prendre que quand l'armée arrivera là-bas... Mais vous savez ce qui se passe, avec les villes envahies. Lès envahisseurs incendient tout sur leur passage, alors, même s'il prouvait son innocence, que lui resterait-il ? Une poignée de cendres. Il vaut mieux en finir tout de suite, et qu'il se retrouve libre, de sorte qu'il conservera toujours son coton, de par son association avec moi. Mais ce coton n'aura plus la moindre valeur marchande, à moins que nous ne récupérions le reçu de saisie, celui que l'armée donne en emportant la marchandise. Et comment pourrait-il être là-bas, mon gars, alors qu'il serait ici en train d'attendre son procès ? Je pourrais, bien sûr, m'occuper de cela tout seul, puisque tout est à mon nom, mais ça ferait un effet lamentable dans un litige que d'avoir mon associé en prison. Le temps travaille contre nous ! Et si son stock disparaissait ? S'il ne retrouvait plus qu'un tas de décombres à Alexandrie ?

Tout ceci respirait la loyauté, la fraternité, l'émotion la plus profonde. Seulement, il n'avait pas évoqué l'impasse dans laquelle se trouvait Landry, qui n'était en mesure ni de lui intenter un procès, ni même de faire valoir son association avec lui. Me gardant de soulever ce point, je poursuivis :

— Très bien, puisque nous sommes d'accord sur le principe, ma prochaine question sera : lequel de nous va-t-il se charger de le lui faire admettre ? Vous ? A moins que vous ne préfériez que ce soit moi ?

— Si vous le faisiez, mon gars, ce ne serait pas plus mal.

— D'accord. Il faut bien que je justifie mes appointements.

— Et, au cas où il prendrait mal la chose...

— N'ayez crainte, je vous tiendrai en dehors de tout ça.

— Aye ! C'est préférable pour notre amitié.

Nous convînmes qu'il irait parler au président du tribunal militaire chargé de l'affaire, tandis que j'irais catéchiser le prisonnier, et qu'ensuite je le rejoindrais au City Hotel. Tirant une carte de visite, il y inscrivit son numéro de chambre, le 346. Mon cœur battit plus vite ; mon propre numéro était le 301, donc au même étage. Il me dit :

— Montez directement, sans me demander à la réception ; moins ils en sauront sur mes activités, mieux ils dormiront. Mais, mon garçon, par pitié, ne traînez pas toute la journée. J'ai rendez-vous avec la petite ce soir, et si je pouvais déjà lui annoncer que son père sortira bientôt, ça lui ferait un plaisir immense. Ne perdez pas ça de vue.

— Je passerai au plus tard à l'heure du dîner.

— Je vous attendrai, mon gars.

— Et je ferai de mon mieux pour le convaincre.

— Je n'en doute pas. Maintenant, pour ce qui est du paiement...

Exhibant un portefeuille épais comme une Bible, il en tira un billet de cent dollars, et dit en me le tendant :

— Je crois que vous avez demandé à la petite cent dollars de la main à la main, plus cent cinquante consignés. Est-ce qu'un simple dépôt sous nos deux noms au coffre-fort de l'hôtel vous suffirait, ou préférez-vous un acte légalisé ?

Puisque j'étais censé comploter avec lui, je devais aller jusqu'au bout, mais je répugnais à accepter son argent. J'hésitai un moment, faisant claquer le billet entre mes doigts, puis je cessai ce manège, craignant de le déchirer, car il comportait déjà une fente triangulaire longue d'un pouce à une extrémité. Je fis :

— M. Burke, ni dépôt ni consignation entre nous. J'ai entièrement confiance, vous ne me paierez que lorsque vous serez satisfait. Reprenez votre argent.

— Mais, mon gars, gardez-le comme convenu !

— J'aime mieux pas.

— A votre aise, mais si vous changez d'idée...

— Je vous le dirai.

Et je lui rendis son billet, n'imaginant pas qu'il deviendrait la bombe qui libérerait M. Landry, et du même coup, m'expédierait jusqu'en enfer...

Ce matin, on n'avait que l'embarras du choix pour les fiacres, aussi en pris-je un à l'heure, et me rendis d'abord chez Lavadeau, où tous les pirates, rois, princesses et odalisques pendaient sagement à des patères. Mignon, Lavadeau, Véronique Michaud et deux ou trois autres les ensachaient dans leurs housses avec des boules de naphtaline en attendant la prochaine fête. Elle m'entraîna dans un salon d'essayage, cagibi entouré de paravents, garni d'une table et d'une chaise, qu'elle m'offrit. Elle vint tout contre moi, et en chuchotant, je lui expliquai ce que je venais de faire :

— Je fais semblant d'être de son côté pour le tranquilliser. Il est convaincu qu'il va posséder tout le monde, mais il tombera très vite de son haut... Votre père va hurler comme un cochon qu'on égorge, mais je dois gagner du temps, et contrer Burke serait notre ruine.

Elle m'écoutait attentivement, serrant ma tête contre sa poitrine, puis elle m'avertit :

— Willie, faites vite, je vous en prie. Je dois encore sortir avec lui ce soir pour lui tirer les vers du nez, mais d'après ce qu'il a dit hier soir, une nouvelle lettre a été envoyée, et plus il en dira dans ces lettres, pire ce sera pour mon père !

Je lui demandai si elle avait pensé à la liste des papeteries. Elle la tira de son sac et me la remit. Elle était en écriture française, avec des 7 barrés, des tas d'accents, toutes choses qui m'étaient peu familières. De plus, elle embaumait le Cuir de Russie. J'embrassai Mignon, et enfouis mon nez dans son corsage. Elle pressa deux adorables rondeurs contre mes joues, et, l'espace d'un instant, mes bras autour de son corps, tout fut calme et merveilleux.

Mais son père demeura de glace quand j'eus terminé mon exposé. Depuis la veille, on lui avait octroyé un brasero, sur lequel il demeura penché, se réchauffant les mains, quand je lui suggérai de consentir à un procès, se contentant de répéter à l'envi :

— Je ne plaiderai pas. Je ne plaiderai jamais, jamais, et je suis très déçu que vous me proposiez une chose pareille, M. Cresap. En dehors de toute considération générale, je me refuse à admettre un acte que je n'ai pas commis, dont je ne suis pas coupable. J'en fais un point d'honneur. Je ne plaiderai pas !

— Personne ne vous le demande.

— Je... je vous demande pardon ?

— Je vous suggérais d'y penser.

— Que j'y pense ?... Et puis après ?

— Eh bien, vous n'avez aucune autre solution, sinon de rajouter du charbon dans ce feu. Pouvez-vous penser encore un peu ?

— Penser ? Et encore penser ?

— Et penser encore.

Il me scruta un bon moment, effectua quelques pas autour du brasero, puis s'immobilisa en face de moi :

— M. Cresap, dit-il, je vais penser à y penser.

— C'est tout ce que je voulais savoir.

Jusque-là, à part quelques exercices d'échauffement pour me préparer à agir, j'en étais toujours au point mort ; c'est alors que, de façon inattendue, je fis un bond en avant. Je montai au bureau du président du tribunal, et fus aiguillé par le sergent de garde sur un commandant nommé Jenkins. Cet homme grand, maigre et blafard, avec une barbe noire taillée au carré, me laissa debout devant sa table et continua de compulser des papiers pendant notre entretien. Dès que j'eus décliné mon identité et ma qualité d'avocat, j'attaquai en lui demandant sous quelle inculpation se trouvait mon client.

— Aucune pour l'instant. Nous le gardons pour supplément d'enquête, comme vous devriez le savoir puisque vous êtes son avocat.

— S'il accepte de passer en jugement, ce sera sous quelle accusation ?

— Violation de parole.

— Il n'a jamais été prisonnier sur parole à ma connaissance.

— Tous ces gens le sont virtuellement, et ceux qui ne sont pas contents n'ont qu'à nous le dire, on arrangera ça en les foutant au camp de concentration !

— Quelle est la peine prévue pour violation de parole ?

— La confiscation pure et simple. En échange d'un état de ses biens, nous recommandons à la cour de suspendre la servitude pénale.

— N'est-ce pas un peu rigide ?

— Vous préféreriez peut-être que j'envoie son dossier au Procureur des Etats-Unis, qui peut requérir une accusation de trahison ?

— Trahison, commandant ! Comme vous y allez !

— Envoyer des souliers au camp ennemi, ce n'est pas de la trahison ?

— Aucun soulier n'a été envoyé à l'ennemi !

Il entra dans une male fureur. Pour lui, l'envoi des souliers par bateau était une preuve *prima facie.* Il ajouta :

— Si vous trouvez rigide qu'on accuse cet homme de violation de parole, il me semble que vous prenez cette guerre parfaitement à la légère !

— J'ai été blessé, dans cette guerre.

— Ah ! Vraiment ! Et vous croyez que ça vous donne droit à quelque chose ?

— A une chaise, me semblait-il.

Eclatant d'un rire énorme, il me fit apporter un siège par une ordonnance ; comme je le refusais, il redevint furieux. Je l'étais contre moi-même, de m'y prendre aussi mal, mais je me forçai à me taire et à rester immobile jusqu'à ce qu'il me dise :

— Cresap, vous auriez beaucoup à apprendre de l'associé de votre client, qui était ici il y a un moment, et qui a obtenu de moi cette accusation pour violation de parole, laquelle est la plus bénigne qui soit en l'occurrence. Mais lui s'y est pris avec courtoisie...

— Une qualité dont vous et moi aurions bien besoin.

— Vous recommencez ?

J'ignore jusqu'où les choses auraient pu aller si un sergent n'avait surgi pour parler à l'oreille du commandant, qui bondit sur ses pieds et s'empressa d'aller parler à un homme dans le couloir, que suivait un noir chargé, semblait-il, d'une caisse d'alcool. Le commandant déclara à haute voix :

— Allez déposer ça dans mon logement.

L'homme, l'air d'une bonne pâte, répliqua que telle était bien son intention, mais qu'auparavant... et il frotta ses doigts d'une manière éloquente. Le commandant lui remit un billet, que le civil garda entre ses dents tandis qu'il cherchait de la monnaie dans sa poche. Je m'appuyais à la porte, et vis qu'il s'agissait d'un billet de cent dollars, mais n'y prêtai pas autrement attention jusqu'au moment où le livreur l'empocha après avoir rendu la monnaie au commandant. Alors je compris brusquement le sens du mot « courtoisie ». Une extrémité du billet comportait une déchirure triangulaire, longue d'un demi-pouce.

Quand l'homme redescendit avec son porteur, je le suivis, adressant des remerciements au commandant pour toute sa gentillesse à mon égard. Dans la rue, j'obtins le nom de cet homme, Lucan, et son adresse, dans Baronne Street — après lui avoir racheté son billet cent un dollars — cinq billets de vingt, plus un dollar, lui expliquant :

— J'aime bien avoir un gros billet dans la poche ; ça impressionne mes amis.

Je le quittai, ravi de cette aubaine, et tout en me dirigeant vers le City Hotel, je sus que, dorénavant, j'avais une arme.

V

J'ETAIS si excité que je repoussai à plus tard ma perquisition ; pour l'instant, j'avais de quoi m'occuper avec ce billet de cent dollars, manifestement remis par Burke au commandant Jenkins. Toutefois, je récupérai mes clefs au passage, et quand j'arrivai au 301, chambre d'hôtel banale, éclairée au gaz, je les essayai toutes les deux dans la serrure. Elles fonctionnèrent à la perfection, le passe-partout plutôt mieux que la vraie. Puis je me rendis au 346, située après un coude du couloir, et frappai. La porte s'ouvrit sur un gorille humain, une chose basanée, des touffes de poils jaillissant des narines, des sourcils broussailleux et un front quasi inexistant. Ce courtaud aux jambes torses avait une ancre tatouée sur ce qu'il faut bien appeler une de ses mains. Cela portait un habit à queue-de-pie et un faux col de celluloïd, à la façon des domestiques européens, et cela appela dans une sorte de croassement :

— M'sieur Bourke !

Burke apparut, l'appela Pierre et me serra la main.

— C'est mon gippo, m'expliqua-t-il.

Puis il le présenta en ces termes :

— *Pierre, c'est M'sieur Crésap* (1).

La chose grogna, s'inclina, puis se claqua une oreille comme le

_____

(1) A partir d'ici, les mots et phrases en italique sont en français dans le texte. (N. du T.)

38

font les marins pour saluer, avant de disparaître par une porte latérale.

— J'ignorais que vous parliez français, dis-je.

— C'est un de mes points communs avec Adolphe. Aye, j'ai vécu trois ans à Paris, en revenant du Nicaragua, avant que le Mexique ne m'appelle !

D'un coup d'œil, il chercha à savoir si le mot Nicaragua avait pour moi une quelconque signification, et devant mon absence de réaction, poursuivit :

— Je m'étais joint aux flibustiers, et j'ai participé à l'organisation de l'Accessory Transit — pour Walker, au début. Bien qu'il ait terriblement abusé de ma confiance, j'ai réussi à revendre ma part à l'un des hommes de Vanderbilt, avec un léger bénéfice. C'est alors que je suis parti pour Paris, histoire de changer d'air.

— Ce Walker (*), c'était quelqu'un !

— Un homoncule, mais une espèce de génie.

— Il fallait l'être pour s'emparer de tout un pays avec tout juste une poignée d'hommes ramassés à San Francisco, puis, après avoir pris le pouvoir, pour créer un chemin de fer et lui faire rapporter gros. Tout comme l'aurait fait l'Accessory Transit si Vanderbilt (**) ne s'en était mêlé.

— Aye, aye et aye.

Pierre revint, en vareuse et bonnet à pompon rouge, grommela quelque chose qui ressemblait à *déjeuner* et disparut. Burke déclara :

— Le parfait serviteur. Je l'ai trouvé à Matamoros ; son bateau était parti sans lui. Il lave mes frusques, fait le portier, me sert de garde du corps, bref c'est mon factotum, mon gippo (1), comme nous disons en Irlande. Il fait tout, absolument tout ce que je lui dis, et je ne suis pas mécontent qu'il ne parle pas un mot d'anglais. Quand je suis absent, il suffit de lui laisser un message écrit.

Il me désigna un vaste bureau de noyer recouvert d'un tapis

(*) William Walker (1824-1860), aventurier et flibustier ayant participé à la Ruée vers l'or. Envahisseur du Mexique puis de la Californie du sud, qu'il proclama république indépendante en 1853. Il s'opposa longtemps par la force aux entreprises du Commodore Vanderbilt, finit par être déclaré hors-la-loi et mourut exécuté.

(**) Cornélius Vanderbilt, dit « le Commodore » (1974-1877). Fondateur de nombreuses lignes maritimes et ferroviaires, dont l'Accessory Transit. L'un des hommes les plus riches de son époque.

(1) Déformation de l'anglais du XVIIe siècle : « jip », animal dressé, par extension, serviteur. (N. du T.)

vert sur lequel étaient éparpillés du papier, des plumes et de l'encre :

— Installez-vous, mon garçon, et donnez-moi les nouvelles.

La pièce ressemblait à celle que j'occupais au Saint-Charles, mais il l'avait un peu personnalisée. Outre le mobilier habituel, il avait apporté le grand bureau, ainsi qu'une table supportant des piles de journaux, le *Times* de la Nouvelle-Orléans, et d'autres, espagnols et français. L'endroit sentait le tabac refroidi, mais quand il ouvrit un tiroir du bureau pour y prendre une boîte en carton vert remplie de *cigarillos* comme il disait, et m'en offrir, je lui répondis que je ne fumais pas. Je remarquai toutefois que le tiroir ne fermait pas à clef et qu'il renfermait toutes sortes de papiers. Il s'assit, alluma un cigare et, en se tapotant les joues, s'amusa à confectionner des ronds de fumée.

— Ils viennent de Cuba ; je les ai trouvés à Mexico. La cape a un goût légèrement sucré, je crois qu'ils la trempent dans la mélasse. Quant à la tripe, elle a du corps... vous voyez cette fumée onctueuse, lourde et blanche à la fois, si propice à faire des ronds ? Ah, mon garçon, la vie n'est-elle pas belle ?

— Pas tellement, je le crains.

— Vous avez vu Adolphe ?

— Oui, mais dès que j'ai abordé le sujet du procès, il l'a rejeté catégoriquement. Il s'est pratiquement cogné au plafond.

— Nous nous y attendions. Et ensuite ?

— J'ai essayé de le raisonner, et il m'a promis d'examiner la question.

— Il va accepter ?

— Je l'ignore. C'est tout ce que j'ai pu obtenir.

— Je suis certain qu'il y viendra. Avec les hommes comme lui, il faut toujours toutes sortes de préliminaires pour leur permettre de sauver la face. Ce n'est qu'une question de temps. A-t-il reçu le brasero que je lui ai fait porter ?

— Il est pratiquement assis dessus.

— Ça le réchauffera. Et ça l'aidera à réfléchir à ce qui est bon pour lui.

— Il y a autre chose, M. Burke. J'ai vu le commandant Jenkins. Il parut inquiet. Je repris :

— J'ai bien peur de m'être mal débrouillé. Le commandant Jenkins m'a dans le nez.

— Ce gaillard n'est qu'un rustre.

— Je n'ai pas pu le supporter. J'ai littéralement pris la fuite.

— Je l'avais rencontré moi-même dans la matinée.

— C'est ce qu'il m'a dit. Il semble vous tenir en haute estime.

— Sur ce plan, il n'a pas tort.

Clignant de l'œil, il me raconta sa visite à Jenkins, et comment celui-ci avait consenti, au lieu du procès pour trahison dont il rêvait, à une simple « violation de parole », tout cela correspondant à ce que Jenkins m'avait dit, et au billet de banque camouflé dans ma poche. Je le félicitai, et, mon « rapport » achevé, me levai pour prendre congé. Jusqu'ici, puisque j'avais renoncé à ma première idée de fouiller cet endroit pour y chercher des preuves, je n'avais aucune raison de m'y éterniser en rodomontades et vains bavardages ; il me fallait continuer à endormir ses soupçons afin de pouvoir poursuivre tranquillement la petite piste que je tenais. Mais tandis que je m'appuyais à son bureau et qu'il regardait distraitement par la fenêtre sans cesser de me noyer de paroles, mon regard tomba sur quelque chose qui me fit changer d'idée. Il me fallait absolument revenir dans cette pièce, d'une façon ou d'une autre. Entre le bureau et la fenêtre, il y avait une corbeille à papier en osier, et dans le fond de celle-ci, un éparpillement de bouts de papier froissés, papier apparemment identique à celui de la lettre anonyme, et sur lequel se distinguaient des mots crayonnés. Ce devait être quelque brouillon de la nouvelle lettre dont Mignon m'avait parlé. Si je parvenais à me procurer ces fragments, ils corroboreraient mon histoire.

Tandis qu'il continuait de parler, je fis un pas vers la porte, m'éloignant de cette corbeille afin d'éviter que mes yeux me trahissent. Il se leva alors, et d'un commun accord il fut décidé que je retournerais voir Landry le lendemain, et reviendrais mettre Burke au courant de cette nouvelle démarche « sans en avertir Jenkins ». Je sortis à reculons, en signe de respect. Me suivant sur le palier, il me demanda si je n'avais pas changé d'avis au sujet de mes honoraires. Je lui affirmai que je n'avais nul besoin d'argent dans l'immédiat, et qu'il ne me paierait qu'en échange de quelque chose de constructif.

Dans l'escalier, une voix intérieure me dit d'abandonner l'idée de cambrioler cet appartement sous l'unique prétexte de m'attirer les faveurs d'une femme. Que devais-je donc à Landry, pour courir un tel danger et peut-être risquer ma vie pour lui ? J'évoquai Pierre, et cet avertissement déguisé : « Il fait tout, absolument tout ce que je lui ordonne. » Ceci, ajouté au terme « garde du corps » signifiait que je devais me méfier de cette brute prête à tout. Je devais me réveiller, et en revenir à mon unique problème, qui était de trouver vingt-cinq mille dollars. A force de me raisonner, je décidai de prendre la liste de Mignon et d'aller visiter les boutiques. Dès la première, dans Camp Street, tout près de la Cité, je gagnai le coquetier. Parfaitement, me dit l'employé, il se souvenait de ce client irlandais, qui avait effectué un achat bien étrange pour un homme aussi ouvertement élégant. Après avoir relevé son nom, Bob Raney, je regagnai le Saint-Charles, où je pris une collation au bar. Je me dis que j'en savais assez ; plus besoin de fouiner plus avant, du moment que je possédais la preuve que Burke avait acheté le papier. Et en arrière-plan, l'idée me grignotait que dans les hôtels, on ne nettoie les chambres qu'une fois par jour, et que ces bouts de papier resteraient sans doute dans la corbeille jusqu'au lendemain matin, alors que Burke passerait la soirée au-dehors. Pierre restait l'unique obstacle entre moi et ce dont j'avais besoin pour parachever mon enquête... C'est alors que subitement, le hasard me fournit un moyen de me débarrasser du chien de garde. A la table voisine, deux hommes discutaient bruyamment d'une certaine Marie Tremaine, selon eux cupide jusqu'à la rapacité. L'un d'eux dit :

— Elle n'en veut qu'à notre argent, et en ce qui me concerne, c'est bien fini. Plus jamais je ne remettrai les pieds dans sa maison, tu m'entends bien, mon vieux ? Plus jamais.

J'avais déjà entendu parler de cette « maison » à droite et à gauche. Mon repas achevé, je sortis et demandai à un cocher :

— Vous connaissez la maison de Marie Tremaine ?
— Qui ne la connaît pas, ici ?
— Eh bien, vous allez m'y conduire.

42

VI

LA maison se trouvait à Bienville, dans le Quartier Français ; une soubrette noire me fit entrer, et entreprit de me conduire vers une double porte située à gauche dans le hall. Quand je demandai Miss Tremaine, elle parut surprise, et ouvrit une porte sur la droite. J'entrai dans un salon tapissé de peluche rouge et m'assis après avoir plié mon ciré que je posai sous mon siège, mon chapeau par-dessus. J'attendis un moment, puis éprouvai un tressaillement dans la poitrine quand la porte donnant sur le hall s'ouvrit, et qu'un homme passa avec une jeune femme qui lui chuchotait à l'oreille tout en le reconduisant. Elle était soignée, nette, bien faite et portait une sorte de tablier en serge rouge. Je me demandai quelle attitude adopter si elle venait s'asseoir sur mes genoux, comme c'était, paraît-il, la coutume. Mais quand elle revint, elle se contenta de traverser la pièce et disparut par où elle était entrée. Je poussais un soupir de soulagement quand une autre femme entra, vint se planter devant moi et me regarda fixement. Elle était petite, des anglaises blondes encadraient son joli visage. Je lui donnai une trentaine d'années ; elle avait les yeux bleus, un teint de lys et de rose, mais surtout une robe de satin blanc sous laquelle elle ne portait rien, ce qu'elle me laissa distraitement — ou complaisamment — le temps de constater ; une résille dorée dans les cheveux et des mules de lamé parachevaient sa tenue. Je bafouillai :

— Mlle Tremaine ? Je m'appelle Crandall.

Je lui donnai le nom sous lequel je m'étais inscrit au City Hotel. Je m'enhardis et lui glissai un billet de vingt dollars :

— Ma carte de visite.

Elle se contenta d'un battement de paupières, mais je poursuivis, déterminé à aller droit au but, si intimidé que je fusse :

— Je suis venu vous parler d'affaires. J'ai besoin d'une aide, et suis prêt à la payer.

— *Alors ?* De quoi s'agit-il ?

Elle avait la voix douce, l'accent français et une charmante façon de s'exprimer. Je lui demandai :

— Mlle Tremaine, pourriez-vous me louer une fille, pour un petit travail ce soir, au City Hotel ? Il me faudrait une sorte d'appât pour attirer quelqu'un hors de sa chambre...

— Voyez-vous ça !

— Oh, je vous assure qu'il n'y a rien de mal... Ce n'est pas pour un vol, ni quoi que ce soit d'approchant... Il s'agit simplement d'un... d'une sorte d'enquête... d'une...

Je m'interrompis, ne sachant plus que dire et me reprochant amèrement de n'avoir pas répété mon texte ; qui aurait pu — particulièrement une femme comme elle, qui semblait fine mouche — gober une explication si vaseuse que je ne pouvais même pas l'achever ? Toutefois, elle parut plus intéressée que furieuse, et continua de m'examiner, comme si elle tentait de me jauger. Puis une pensée dut la frapper, car un sourire éclaira son visage, qu'elle dissimula derrière mon billet. Puis elle porta son attention sur mon chapeau, qui sembla beaucoup l'intéresser, mystère que je renonçai à élucider. Puis elle dit abruptement :

— C'est effectivement une affaire. Cela demande réflexion.

Je dus marmonner quelque chose. Elle dit :

— Je devrais m'habiller. Voulez-vous m'accompagner dans mon appartement ?

J'étais trop ému pour discuter, aussi, ramassant mon harnachement, je la suivis dans le hall puis, dans l'escalier, jusqu'au deuxième étage où elle ouvrit une porte. J'entrai. La pièce du bas était tapissée de rouge ; celle-ci était toute d'ivoire et d'or. Sur le sol, une carpette de coton blanc supportait une peau d'ours blanc, des chaises blanches capitonnées de brocart doré et un piano à queue blanc incrusté d'or. Dans le fond il y avait un lit blanc à baldaquin doré, faisant face à une commode blanche.

— Donnez-moi vos affaires.

Elle alla les suspendre dans une armoire, puis tira une cordelière d'or, et des rideaux dorés coulissèrent sur une tringle blanche, la dissimulant à ma vue en même temps que l'alcôve où se trouvait le lit. C'était ma première visite dans un endroit semblable, aussi regardai-je autour de moi avec curiosité. Je jetai un coup d'œil rapide aux gravures accrochées aux murs, de style français et certaines assez épicées, toutes dans des cadres dorés. Puis je remarquai les vases, de cuivre étincelant à ce qu'il me sembla, débordant de camélias, dont c'était la pleine saison. Mais une pensée me vint : on utilise rarement le cuivre pour des récipients destinés à contenir de l'eau, l'humidité les couvrant de vert-de-gris. Or ceux-ci n'avaient pas l'ombre d'une moisissure. Je dus me rendre à l'évidence, après avoir cogné du doigt l'un des vases. La musique qu'il rendait ne pouvait être produite que par de l'or massif.

Au moment où tintait l'or, elle surgit de derrière les rideaux, dans une robe de flanelle bleue à demi boutonnée, laissant voir des froufrous de soie. Ses yeux étaient de glace bleue. Je lui dis :

— Vous avez l'oreille fine, Mlle Tremaine.

— *Alors ? Qu'est-ce que c'est ?*

M'approchant d'elle, j'arrangeai sa robe, l'enlaçai et lui donnai un petit baiser sur la joue. Je la rassurai :

— Je n'essayais pas de voler votre vase. Je l'évaluais simplement.

— Il est en or, *non* ?

— Il n'existe aucun autre son au monde.

— J'en ai six, ils viennent d'un *château* à Rezé-les-Nantes.

— Je vous félicite. Vous aimez l'or, sans doute ?

— J'aime l'or.

— Tournez-vous que je vous boutonne.

Elle pivota et je la boutonnai, prenant un siège et la faisant asseoir sur mes genoux, sur lesquels je la fis sauter comme une enfant, après quoi je lui donnai un autre baiser. Cette fois, elle l'accepta sur les lèvres, et y répondit brièvement, mais avec une lueur étrange dans les yeux. Me caressant les sourcils, elle dit :

— *Doux* comme du *coton*.

— Ce n'est que du poil.

— *Jolis, pourtant*. Tout comme vous.

— Moi, joli ? Comme un singe.

— *Et* gentil. *Et naïf.*

— Qu'est-ce que j'ai de si naïf ?

A vrai dire, j'étais beaucoup moins impressionné ; mon trac évanoui, je commençais à crâner, tout comme si j'avais une vieille expérience de ces situations, mais elle ne s'y laissa pas prendre. Continuant de me tirailler les sourcils, elle s'esclaffa :

— Oh ! Vous me donnez vingt dollars, vous m'embrassez comme un enfant de chœur, ce n'est pas *naïf*, ça ? Vous me prenez pour une tenancière, une sous-maîtresse, et vous ôtez votre chapeau ! Ce n'est pas *naïf*, ça aussi ? Vous ne savez donc pas, *petit*, que devant une sous-maîtresse on garde son chapeau, que c'est *l'ancienne insulte* du client qui paye ?

— Mais si vous n'êtes pas... qui êtes-vous donc ?

— Je suis *joueuse*, gros malin !

Je compris « juive », et fis aussitôt marche arrière :

— Eh bien, je suis Episcopalien moi-même, mais je n'ai rien contre les Juifs, ni surtout contre les Juives...

— *Jou-euse !* glapit-elle. Je joue ! Je travaille dans une maison de jeu, ici même, et non dans l'endroit que vous croyez !

— Ici ? Une maison de jeu ? Et vous...

— Je suis *joueuse*, pas sous-maîtresse ! Je me tue à vous le dire !

— Mon Dieu !

D'un seul élan, je l'éloignai de mes genoux, bondis sur mes pieds et courus chercher mes affaires, balbutiant :

— Je suis désolé... Je m'excuse... Je me suis conduit comme un crétin, je vous ai traitée comme une... Il faut que je m'en aille !

Mais elle se tenait fermement appuyée contre la porte de l'armoire, m'empêchant de l'ouvrir. Elle demanda :

— Me suis-je montrée *désagréable* ? Ai-je manifesté de la colère ? Vous ai-je demandé de sortir ?

M'écartant de l'armoire, elle me repoussa sur mon siège et se blottit à nouveau sur mes genoux, poursuivant :

— Est-ce qu'une *joueuse* doit être forcément *contaminée* ? N'a-t-elle pas le droit de vous rendre service ? N'a-t-elle pas le droit d'avoir *aussi* des filles, qui tiennent des tables de poker, de vingt-et-un *et* de faro ? Et cette affaire dont vous parliez ?

— Mlle Tremaine, je me sens trop honteux pour...

— *C'est vrai,* vos oreilles sont toutes rouges ! Mais je ne me sens pas tellement offensée. Après tout, vous avez entendu parler de ma maison...

— Dans un foutu bar !

— Vous avez fait une méprise bien excusable.

— Je voudrais me cacher !

Tirant un mouchoir de sa manche, elle me le tint un instant devant les yeux, puis m'essuya le nez avec et lança :

— Bon, maintenant ça suffit ! Je peux vous procurer une fille si vous m'assurez qu'elle ne court aucun danger, *surtout* avec la police. C'est extrêmement important, alors causons. Vous aimeriez un peu de champagne, M'sieur Crandall ?

— Si vous en prenez, moi aussi.

Elle alla tirer un bouton de porcelaine blanche près de la porte, et une sonnette retentit en bas. Une servante se présenta, à laquelle elle commanda du champagne en français. Ceci m'ayant donné le temps de réfléchir, je décidai de lui dire la vérité, du moins suffisamment pour la convaincre que je n'étais pas un malfaiteur. Sans citer de noms, je lui parlai d'un ami sur le point de se faire posséder par un escroc qui habitait au City Hotel. Je lui parlai des bouts de papier déchirés et lui montrai mon passe-partout.

— Je sais qu'il doit sortir ce soir, mais l'ennui, c'est que son domestique restera pour monter la garde. Si l'on réussit à l'attirer dehors, je pourrai me glisser à l'intérieur, prendre les bouts de papier, en mettre d'autres à la place. Le tout ne durera que cinq minutes, même le valet ne se rendra pas compte de ma visite.

— Vous m'avez convaincue.

— Mais il est indispensable que la fille parle français...

— Toutes mes filles parlent français.

La soubrette entra avec le vin dans un seau à glace, suivie d'un gamin qui portait un plateau avec deux verres et une soucoupe d'argent sur laquelle se trouvait un papier. Quand le seau, le plateau et les verres furent déposés sur une table basse, la servante ramassa la soucoupe et me la tendit.

— *Non !* cria Mlle Tremaine, qui débita une tirade en français.

La soubrette recula, mais j'attrapai le bout de papier. C'était une note de huit dollars pour le champagne. Je produisis un billet de dix, mais Mlle Tremaine me l'arracha et le fourra d'autorité dans ma poche. Puis elle déchira la note, jeta dehors la servante et le gamin à grand renfort d'invectives en français, puis revint vers moi, le visage convulsé de fureur. Pour se calmer, elle tourna et retourna la bouteille dans le seau à glace, puis, avec dextérité, elle ôta le capuchon de papier et fit sauter le bouchon. Ayant goûté une gorgée de champagne, elle emplit les deux verres, m'en tendit un, et leva le sien en disant :

— *Santé.*

— A votre bonheur, Mlle Tremaine.

— *Et succès, M'sieur Crandall-Quichotte !*

Elle me repoussa sur ma chaise, mais cette fois ne s'assit pas sur mes genoux. Elle s'accroupit sur le sol, tenant son verre devant elle. Elle dit :

— Excusez-moi d'avoir crié. La note, c'est la coutume, la petite n'a fait que son travail. Et j'aime l'or, comme vous l'avez dit. Mais vous, *petit,* vous me donnez l'impression que je suis une *grande dame*, ce que j'aime encore plus, et croyez-moi, ça n'arrive pas tous les jours.

Elle but une gorgée, et dit tristement :

— *La joueuse* est vraiment une *demi-mondaine*, mi-dame, mi, *hélas,* sous-maîtresse. Avec vous, j'oublie l'une et ne suis plus que l'autre, alors, je vous en prie, ne me parlez pas de payer.

— Mlle Tremaine, je ne vois ici qu'une vraie dame.

— *Merci.* Voulez-vous m'appeler Marie ?

— J'en serai très honoré, Marie.

— Et moi ? Comment puis-je vous appeler ?

— Mon prénom est William.

Elle éclata de rire et me dit :

— Je ne peux pas prononcer ça !

Elle se livra à plusieurs essais, ne parvenant qu'à obtenir un croisement entre *ville* et *billard.* De guerre lasse, elle dit :

— Je préfère vous appeler Guillaume.

— Ça me plaît beaucoup.

Elle posa son verre en équilibre sur l'un de mes genoux, appuya sa tête sur l'autre, et nous laissâmes passer un long moment sans parler. Dans le seau, la glace semblait si pure que j'en croquai un morceau.

— Quelle belle glace, Marie. Savez-vous d'où elle provient ?

— Du Minnesota. Pendant deux ans, nous l'avons fait venir du Canada, par la mer, mais elle était pleine de sales petites bêtes. Mais *depuis* la bataille de Vicksburg, les bateaux peuvent à nouveau descendre le fleuve et nous avons retrouvé la glace du lac.

— D'où je viens, la glace n'est pas si belle.

— D'où venez-vous donc, Guillaume ?

A la voir ainsi, toute douce, toute gentille, prête à m'aider sans que rien l'y oblige, j'étais incapable de lui mentir davantage, et je regrettais déjà de lui avoir donné un faux nom. Je répondis :

— Du Maryland. L'eau de mer s'infiltre partout, et où que nous prenions la glace, elle est toujours saumâtre.

— Puis-je continuer à me montrer *curieuse* et vous demander ce que vous faites ?

— Je suis ingénieur, Marie.

— Ah, *oui* ! Dans les chemins de fer !

— Non, dans l'hydraulique. Je suis spécialisé dans les pilotis.

— Ah ! *Les pieux !*

Un homme qui construit des pilotis est accoutumé à voir sourire quand il explique son travail, et sourit lui-même. Mais elle réagit comme si je lui avais révélé que je chantais à l'opéra. Posant son verre sur la table, elle m'entoura de ses bras et demanda, le souffle court :

— Vous êtes *l'associé* de M'sieur Eads ? C'est lui qui vous a envoyé ici ?

— Comment diable le connaissez-vous ?

— Oh, je suis *femme d'affaires* à la Nouvelle-Orléans, et je me tiens au courant de l'actualité. Il va reprendre le plan de Pauget.

— Le quoi ?

— Le projet d'Adrien de Pauget, notre grand ingénieur, qui avait voulu, il y a longtemps, cent ans au moins, dresser des piliers dans le fleuve, et construire un canal qui rejoindrait le golfe. Cela pourrait faire de la Nouvelle-Orléans une capitale, en l'ouvrant aux gros bateaux ! Cela établirait des communications vers Vicksburg, Memphis et Saint-Louis ! Nous deviendrions un grand centre de commerce ! J'ai entendu dire que M'sieur Eads voulait réaliser ce projet. Vous travaillez avec lui, Guillaume ?

— Marie, je dois vous avouer que je ne le connais pas — mon père le connaît, mais pas moi. Et je n'avais jamais entendu parler de ce de Pauget. Mais c'est à cause de ce projet de chenal que je suis venu ici. Si je réussis à monter mon affaire à la Nouvelle-Orléans, je me mettrai sur les rangs pour ce travail. Pour participer une fois dans ma vie à quelque chose de fabuleux !

— *Ah, oui.* J'ai tout de suite senti que vous étiez *poète* !

— Marie, je ne voudrais pas vous décevoir, mais je ne suis qu'un grand dadais avec une règle à calcul, un associé un peu idiot mais qui sait piloter un remorqueur — bourré d'énergie, mais avec une lacune considérable...

— L'argent ?

— Comment l'avez-vous deviné ?

— Ce n'était guère *difficile* !

Elle m'embrassa encore une fois, puis voulut savoir ce que nous ferions faire à sa « fille ». Je lui montrai ma clef du City Hotel, celle du 301, et lui dis :

— Cette chambre est à mon nom, mais elle peut monter directement. J'aurai retenu une chambre pour elle, et lui remettrai la clef moi-même.

Nous décidâmes que la jeune personne s'appellerait Eloïse Brisson, nom que j'écrivis sur un bout de papier, en précisant :

— Si elle vient vers sept heures, nous liquiderons la chose tout de suite, et elle sera libre pour le reste de la soirée.

Quant aux petits détails, je les mettrais au point directement avec mon assistante. Nous nous étions tout dit, et Marie me rendit mon ciré et mon chapeau, puis me raccompagna. Dans le hall du bas, elle ouvrit la porte donnant sur le grand salon et me fit signe de la rejoindre. Mon cœur dégringola dans mes souliers ; j'avais aperçu trop de bleu, celui des uniformes d'officiers de l'Union, et j'étais terrifié à l'idée que l'un d'eux ne me reconnût et ne m'appelât par mon véritable nom, car j'avais fini par en connaître un bon nombre. Mais leurs visages m'étaient étrangers, et je pus faire sans encombre le tour du propriétaire, admirant les divers aménagements. La jeune fille que j'avais déjà vue dirigeait la table de blackjack, autrement dit de vingt-et-un, son petit tablier moulant son ventre appuyé contre la table. D'autres jeunes femmes servaient de croupiers pour les jeux de cartes ou de dés, mais c'était un homme qui tenait la roulette, tandis qu'un autre, juché sur un haut tabouret, surveillait la salle en manipulant une longue canne noire qui renfermait certainement une épée. Marie lança quelques mots aimables à chacun, appelant plusieurs joueurs par leur nom. Dans le hall, elle m'embrassa en disant :

— La fille viendra.

Dans la rue, je fus surpris de retrouver mon fiacre, que j'avais totalement oublié. Je me fis conduire au City Hotel, fis inscrire « Eloïse Brisson », payai sa chambre et pris sa clef. L'employé m'adressa un clin d'œil, et je vis qu'elle portait le numéro 303 ; c'était la chambre contiguë à la mienne. Je retournai ensuite chez Wagener, et fis ce que j'aurais dû faire auparavant : l'emplette d'un bloc de papier bon marché, identique à celui que Burke avait utilisé pour sa lettre anonyme. Remontant dans mon fiacre, j'ordonnai au cocher de m'emmener chez Lavadeau. Je brûlais de donner à Mignon les dernières nouvelles, de lui parler de ce que j'avais vu dans la corbeille à papiers, et de lui exposer comment je comptais me le procurer. Mais je pensai soudain : « Dois-je lui parler de Pierre ? » Et je pensai ensuite : « **Dois-je lui parler de Marie ?** »

— Cocher, oubliez Lavadeau, je retourne au Saint-Charles !

VII

UNE fois dans mon appartement, je détachai une feuille de papier, griffonnai dessus quelques mots au crayon, puis la déchirai en morceaux de la taille de ceux que j'avais vus dans la corbeille. Je les glissai dans une enveloppe que j'empochai. Puis je chargeai mon Moore & Pond. C'était le revolver que j'utilisais les jours de paye dans l'entreprise de mon père, chaque fois que je transportais une sacoche remplie d'argent. Tout d'abord, afin qu'on me sache armé, je l'avais porté dans un étui de ceinture. Mais un jour, alors que je mettais les ouvriers en rang, un Italien s'en était emparé par surprise, m'avait jeté à terre et avait plongé sur le sac. Un forgeron noir l'avait descendu d'un direct au menton, de sorte que tout s'était bien terminé, mais je m'étais alors demandé si trimbaler un revolver dans un étui de ceinture était réellement une bonne idée. Je m'étais alors fait confectionner un étui d'aisselle, celui même que j'assujettissais en ce moment. Un Moore & Pond est une arme courte, râblée, guère inquiétante d'aspect, mais qui utilise des balles de cuivre, calibre 36, autrement dangereuses que les cartouches habituelles. De plus, il est très maniable. Je bouclai les courroies, puis boutonnai ma veste jusqu'en haut pour dissimuler mon attirail. Comme dehors la pluie avait cessé, je rangeai mon ciré et sortis mon manteau. Puis à six heures j'allai dîner.

Je mangeai à l'Orléans House, un restaurant situé juste en face de l'hôtel, si bien qu'en m'installant près de la vitrine, je pouvais surveiller l'enfilade de Common Street. Je ne me rappelle pas ce que j'ai mangé, occupé que j'étais à surveiller la file de fiacres qui attendaient devant l'hôtel. Au bout d'un moment, une victoria déboîta et se mit à rouler en direction du Saint-Charles. Au passage, je reconnus Burke. J'avalai le reste de mon repas, payai et regagnai le City. L'employé bavardait ; je montai directement au 303. La chambre était identique à la 301, mais dans la lumière crépusculaire semblait misérable, lugubre, morne, bref assez peu accueillante. J'engageai mon passe-partout dans la serrure, où il fonctionna à merveille. Me débarrassant de mon manteau et de mon chapeau, je sortis pour reconnaître les lieux. Puis l'idée me frappa que si j'étais surpris, il vaudrait mieux que je semble venir du dehors, aussi je rentrai, remis manteau et chapeau et partis en promenade du côté du 346. Derrière la porte, une voix d'homme fredonnait. Je fis demi-tour, me débarrassai à nouveau et consultai ma montre, qui indiquait sept heures moins le quart. Fermant les yeux, je récitai le Notre-Père, le vingt-troisième Psaume, quelques Béatitudes et comptai jusqu'à cent. Je regardai l'heure à nouveau. Il était sept heures moins douze. Mais quand il fut enfin sept heures, rien ne bougea dans la chambre voisine. Je me traitai d'imbécile, pour avoir cru que vingt malheureux dollars pourraient me procurer ce genre de complicité, et que ce genre de stratagème aurait une chance de réussir — tout en surveillant l'aiguille des minutes qui se traînait nonchalamment de sept heures une à sept heures deux, puis de sept heures deux à sept heures trois... A sept heures cinq, une clef cliqueta dans la serrure du 301, et j'entendis quelqu'un bouger à travers la cloison. Puis il y eut un léger grattement à ma porte. J'ouvris, et une femme était là, robe gris foncé ornée de ganses noires froncées sur la jaquette, chapeau noir, châle noir, voile noir. Je l'invitai à entrer, si nerveux que ma voix tremblait, la félicitai pour sa ponctualité, et lui demandai son nom.

— *Alors*, je vais vous laisser deviner, dit-elle, soulevant son voile.

— Marie ! m'exclamai-je.

— Vous ne m'aviez pas reconnue, *petit* ?

— Eh bien, avec ce voile...

Elle semblait vraiment ravie de m'avoir mystifié ; elle s'enquit aussitôt :

— Et notre pigeon ? Il est là ?

— Oui, je viens de vérifier.

— Tout seul ?

— Il chantonne pour se tenir compagnie.

— *Bon*. Maintenant, je vais me préparer.

Elle s'esquiva dans la pièce voisine, où elle resta quelques minutes. Quand elle revint, elle semblait un peu pompette avec ses anglaises en désordre, sans sa jaquette, sa camisole chiffonnée, tout cela la rendait terriblement érotique. Elle murmura :

— Il faut avoir l'air *séduisante* !

— Il devrait y avoir une loi contre cette tenue !

Elle rit et s'allongea sur le lit.

— Il faut attendre encore un peu, dit-elle, jusqu'à ce que la femme de chambre ait allumé le gaz dans le couloir. Ce serait gênant de la rencontrer.

— Mon Dieu, je n'avais pas pensé à cela.

— Nous n'avons qu'à surveiller l'imposte.

Sur son invite, je m'assis auprès d'elle, mais elle me fit de la place de façon que je puisse m'étendre, ce que je fis. En se pelotonnant contre moi, elle sentit mon revolver. Elle s'en empara, le déposant sur la table de nuit. J'expliquai :

— Désolé, mais j'ai estimé plus prudent de...

— Mais *oui*. Moi aussi.

Elle ouvrit son réticule, dans lequel, malgré la pénombre, je distinguai l'éclat métallique d'un Derringer.

— Il est bon de prendre ses précautions, dit-elle, mais votre *pistolet* est un peu dur !

L'arme écartée, elle se lova littéralement autour de moi, sa robe remontée, ainsi que la plupart de ses jupons, si bien que sa chair nue me touchait en plusieurs endroits intimes. Du bout de la langue, elle parcourut mes lèvres, puis me donna un long baiser profond...

— On n'est pas toujours *sérieuse* ou *grande dame*, chuchota-t-elle. J'aime aussi m'amuser, parfois.

— Cela m'arrive aussi, haletai-je.

— Combien de temps resterez-vous, dans l'autre chambre ?

— Eh bien, cinq minutes, tout au plus.

— *Alors ?* Ensuite, nous aurons toute la nuit devant nous ?

— Euh... mais oui, bien sûr.

— Nous irons dîner ensemble. Vous aimez la cuisine d'Antoine ?

— Je n'y suis jamais allé, mais on m'en a dit du bien.

— On ira au théâtre, ensuite. Aux Variétés, il y a un spectacle de music-hall.

— Tout ce que j'aime.

— Et après ? Nous reviendrons ici ?

— Si vous voulez, Marie, ce sera merveilleux.

— Vous préférez peut-être *chez vous* ? Où habitez-vous, Guillaume ?

— Au Saint-Charles, pour le moment.

— Je pense que nous serons mieux *chez moi.*

— Votre appartement est très confortable.

Elle m'étreignit très fort, puis roula sur moi et me picora le visage de petits baisers, soufflant :

— Nous irons *chez moi.*

Une lumière éclaira l'imposte, et elle se leva, encore plus chiffonnée qu'avant. Elle me demanda :

— N'ai-je pas l'air d'une pauvre petite esseulée qui a une bouteille de cognac dans sa chambre, et aucun tire-bouchon pour l'ouvrir ?

— Vous avez vraiment de l'alcool ?

— Oh, soyez sans crainte, j'en ai apporté.

— Dans ce cas, vous êtes merveilleusement dans la peau du rôle.

Elle dit :

— Quand vous reviendrez de votre *recherche,* faites tomber votre canne dans le couloir, pour m'en avertir. Je l'enverrai chercher des verres, et viendrai *vite* vous rejoindre ici ; nous n'aurons plus qu'à disparaître ensemble.

Cela me semblait parfait. Elle replaça alors le revolver dans mon holster, m'aida à rajuster mon manteau et dit, me tendant mon chapeau :

— Vous devez être prêt à filer d'un coup. Moi, je m'habillerai dans l'escalier !

Elle me regarda un instant, tendre, débraillée, ébouriffée, puis m'embrassa très vite et sortit. Gardant la porte entrebâillée, je la regardai trottiner le long du couloir et disparaître à l'angle. J'entendis frapper à une porte, puis des voix, la sienne et celle d'un homme, qui parlaient en français. Puis elle fut de retour, avec Pierre. Elle marchait en chancelant et s'agrippait à son bras. Il riait. Il tenait un tire-bouchon à la main. Je les laissai entrer au 301, et, sitôt la porte close, je me glissai dans le couloir sur la pointe des pieds.

Je gagnai le 346 à pas de loup, et saisis mon passe-partout. Mais quand je l'insérai dans la serrure et tournai, rien ne se produisit. J'insistai deux ou trois fois, mais la serrure demeura insensible. La panique me gagnant, je tournai la clef dans les deux sens. Cela fonctionna vers la droite. Je réalisai alors que Pierre n'avait pas pris la peine de fermer la porte à clef avant de suivre Marie. J'entrai, retrouvant la pièce telle que je l'avais laissée, à l'exception d'un candélabre à gaz allumé au-dessus du bureau. La corbeille à papiers s'était remplie depuis le matin, j'y trouvai toutes sortes de choses, un journal, une boîte en carton froissée, de la ficelle, d'autres paperasses sans intérêt. Mais dans le fond, je retrouvai les morceaux de lettre pour lesquels j'étais venu. M'en emparant, je les déposai sur le tapis, les remplaçai par ceux que j'avais apportés, puis remis tout le reste par-dessus, et la corbeille à sa place. A genoux, je ramassai mes précieux bouts de papier, par deux ou trois à la fois, et les enfouis dans mon enveloppe. J'ignore combien de temps il me fallut, mais cela me sembla durer une heure. J'empochai l'enveloppe, ouvris le tiroir du bureau, m'assurant qu'il contenait des feuilles de papier et des enveloppes identiques à celles de la lettre anonyme. Une fois dehors, je sortis mon passe-partout pour refermer la porte, et me souvins à temps de n'en rien faire. Je regagnai silencieusement le 303.

Je tendis l'oreille, perçus des rires de l'autre côté de la cloison — le rire de Marie et celui de Pierre, particulièrement joyeux. Je plaçai ma canne en équilibre sur la bande de parquet à nu entre le tapis et le mur. Sur le point de la laisser tomber, je me demandai « pourquoi ? ». Si tu lui donnes ce signal, tu sais ce qui va se passer ensuite, comme deux et deux font quatre. Après avoir accompli tout cela pour une femme, vas-tu tout détruire en sautant au lit avec une autre ? Je pensai : Comment peux-tu te montrer aussi salaud avec cette adorable petite créature, après le service qu'elle vient de te rendre ? L'abandonner dans le pétrin, sans même lui dire merci ? Je pensai : Salaud ou pas, c'est pourtant ce que je dois faire ! Glissant la canne sous mon bras, j'ouvris mon portefeuille, en tirai deux billets de vingt, les posai sur le lit. Mon portefeuille rangé, je m'approchai de la cloison, et fis tomber ma canne sur le plancher. Je m'empressai de la ramasser, passai silencieusement dans le couloir, fermai doucement la porte et dégringolai l'escalier en tendant l'oreille.

Sur le palier du deuxième étage, j'éprouvai une sensation bizarre.

Me retournant, je vis un autre homme avec une canne, qui semblait guetter quelque chose. Je me souvenais de lui. C'était le garde du corps de Marie, celui que j'avais vu sur son tabouret dans la salle de jeu. Je vis qu'il m'avait reconnu, et plongeai littéralement jusqu'en bas, jusque dans la rue. J'essayai de me convaincre que je n'étais pas tellement salaud, après tout, puisque Marie avait amené cet homme en cas de danger. Mais je me sentis encore plus honteux, comme un renard qu'une poule aurait pris.

VIII

CECI n'ôtait rien au fait que j'avais réussi dans mon entreprise, et, sitôt que j'eus regagné mon appartement, je me donnai un mal de chien, pendant plus de deux heures, pour reconstituer la lettre. Une fois que j'eus trouvé le bon système, ça devint plus facile. Tout d'abord, je triai tous les morceaux qui avaient un côté rectiligne, et qui appartenaient donc aux bords de la feuille. En examinant les morceaux qui portaient des traces d'écriture, je déterminai ceux qui devaient se trouver dans le haut, dans le bas et sur les côtés. Les déposant au fur et à mesure sur mon sous-main, j'obtins de la sorte un cadre rectangulaire. Le reste — trouver les déchirures s'adaptant aux déchirures — n'était plus qu'une question de patience, et je vins rapidement à bout de cette nouvelle tâche. Je pris alors la petite bouteille de gomme arabique qui se trouvait dans ma trousse de dessinateur et recollai soigneusement le tout sur une feuille de papier à lettre. Ce que je lus alors me fit dresser les cheveux sur la tête. Cela concernait bel et bien Burke, mais ce n'était pas seulement un banal brouillon, comme je l'avais tout d'abord pensé. C'était cela, mais aussi et surtout une traduction de l'anglais correct que Burke utilisait toujours, en une sorte de charabia tel qu'un illettré pourrait l'écrire. En d'autres termes, les lignes impaires constituaient un rapport, à l'orthographe et à la ponctuation parfaites, concernant l'envoi des souliers, tandis que sur les lignes paires correspondantes on lisait l'écriture grossière et bourrée de fautes d'un prétendu ignare, jusqu'à la signature LOYAL PATRIOT — le tout parfaitement identique à la lettre anonyme que j'avais lue à l'état-major.

Cette découverte me surexcita ; encore fallait-il l'utiliser au mieux. Je descendis au bar pour réfléchir. L'ennui était que, si je pouvais désormais révéler le nom du dénonciateur, je n'en possédais pas la preuve formelle, et l'armée ne se contenterait pas de racontars ; de plus, Burke n'était qu'accessoire, le point principal demeurant M. Landry et la façon de le tirer de prison. Puis j'eus l'intuition que ma tactique n'était pas d'essayer de prouver quoi que ce soit, mais d'utiliser à mon profit l'ardeur pharisaïque de l'armée à faire bon marché de la vie humaine. .

Assis non loin de moi, en train de regarder la foule qui se rendait au théâtre, se trouvait un journaliste de Philadelphie, John Russell Young (1). Au bout d'un moment, il héla quelqu'un, et un autre reporter vint le rejoindre, Olsen, correspondant de journaux de la Nouvelle-Angleterre. Young n'était qu'un gamin ; Olsen, lui, pouvait avoir trente ans, d'aspect un peu minable, les poches bourrées de papier jaune, le visage en lame de couteau, affligé d'un copieux strabisme. Je les connaissais vaguement, leur avais parlé plusieurs fois ; je ne pus m'empêcher d'écouter leur conversation. Young s'apprêtait à partir au quartier général sur le front du Teche Bayou, et demandait à Olsen pendant ce temps de lui faire suivre les dépêches de Franklin. Ils tombèrent vite d'accord, et Young dit :

— Olsen, il y a un truc qui m'intéresse là-bas, ce sont les filles qui suivent les soldats, une bande de négresses qui font la cuisine pour les hommes, à ce qu'il paraît, qui leur font la lessive, le repassage et devine quoi encore ?

— Je n'en ai pas la moindre idée, fit Olsen.

— Eh bien, je vais tirer ça au clair, affirma John Russell Young.

C'est alors que je me rappelai la panique de Dan à l'idée que la presse puisse avoir vent de l'affaire. Me penchant vers eux, j'intervins :

— M. Olsen, que diriez-vous si je vous donnais une histoire ?

— Je suis toujours preneur, M. Cresap. De quoi s'agit-il ?

— D'un de mes clients, accusé à tort.

— Ne s'appellerait-il pas Adolphe Landry, par hasard ?

— Je vois que vous vous tenez au courant.

------

(1) John Russell Young (1840-1899). Journaliste né en Irlande. Correspondant de guerre pour le « Philadelphia Press », célèbre pour ses reportages sur la Guerre de Sécession.

— C'est mon métier. Mais comment se fait-il qu'on l'ait accusé à tort ? D'après ce qu'ils disent à l'état-major, il a pratiquement servi d'intendant général à l'armée de Dick Taylor.

— Ils racontent ce qu'ils veulent, dis-je ironiquement, mais si vous voulez entendre ma version de l'affaire, déjeunons ensemble demain matin, et j'éclairerai votre lanterne.

— Parfait. Disons vers huit heures et demie ?

— C'est convenu.

Je demandai qu'on me réveille à sept heures et demie, puis retournai à mon travail. J'écrivis une lettre au général commandant en chef, demandant le renvoi du procès au nom de la simple logique, mais exposant aussi les motifs pour lesquels l'armée se montrait d'une sévérité excessive, ainsi que d'autres détails susceptibles d'intéresser la presse. J'en rédigeai deux exemplaires, et ne me couchai que vers une heure et demie. Le lendemain matin, propre, rasé de frais et brossé, j'allai retrouver Olsen qui m'attendait et l'emmenai dans la grande salle à manger, le bar n'étant pas encore ouvert. Quand nous eûmes passé commande, je lui remis un exemplaire de ma lettre :

— Vous pouvez la garder, j'en ai un double.

Dès qu'il l'eut achevée, il sifflota et dit :

— Hé, hé, hé ! Je dirai que c'est une drôle d'histoire, Cresap. Vous accusez pratiquement l'armée d'avoir inventé de toutes pièces une fausse accusation pour toucher un pot-de-vin ; ces choses-là, nous savons tous qu'elles existent, mais jamais personne n'a réussi à en apporter la preuve, et vous vous faites fort de le faire... Comment comptez-vous vous y prendre ?

— Eh bien, je réserve cela pour la réunion au sommet.

— Quelle réunion, Cresap ?

— Aujourd'hui, à l'état-major, et c'est ce qui m'amène à une question : voulez-vous y assister ?

— Y assister ? Vous êtes fou, Cresap, ils ne voudront jamais.

— Qui, « ils » ? Moi, je suis l'avocat de cet homme.

— D'accord, d'accord, vous l'êtes. Vous l'êtes.

Il me poignarda d'un regard aigu, relut avec soin la lettre, et dit :

— Supposez que vous n'ayez pas de preuves ? Cette lettre à elle seule est une véritable bombe, capable d'amener ici le comité Gooch. Eux trouveront la preuve, si elle existe. Et elle existe, bien sûr ! Toute cette armée n'est qu'un fouillis de corruption, provoquée par le coton — la gratte, la débrouille, la prévarication à tous les échelons, du plus bas au plus haut... et c'est ce que cette lettre dit ouvertement, pour la première fois. C'est ça qui va intéresser Gooch.

— Puis-je vous demander qui est Gooch ?

— Le président du comité qui, au Congrès, est chargé des enquêtes sur la bonne marche des armées en guerre.

— Ah, oui, j'avais entendu parler de lui.

— Il ne peut pas mettre cette lettre au panier !

Je le laissai engouffrer jus d'oranges, œufs et café ; puis une fois qu'il eut plié ma lettre, l'eut empochée et se fut tapé sur la poche avec satisfaction, je lui dis :

— Je n'ai encore montré cette lettre à personne.

— Que voulez-vous dire, à personne ?

— C'était sous-entendu.

— Mais pas par moi, lança-t-il avec humeur. Vous me faites lire une lettre, une copie qui m'est destinée, et j'ai cru que vous aviez déjà envoyé l'original à qui de droit.

— Mais je vous ai dit que j'avais une réunion...

— Ecoutez, Cresap, vous n'êtes pas journaliste, il y a des choses que vous semblez ignorer. Cette lettre, pour moi, c'est une nouvelle à sensation, mais je ne peux pas en parler tant que vous ne l'avez pas envoyée ! C'est ça qui la rendra publique, qui en fera de la bonne copie pour mon journal !

— J'ai parfaitement compris, c'est bien mon idée.

— Eh bien, merci pour tout, ça me fait une belle jambe !

— M. Olsen, fis-je très calmement, je suis l'avocat de M. Landry. Je ne travaille ni pour vous, ni pour la presse, ni même pour l'Histoire. Je n'agis que pour lui, et lui seul. Si soumettre cette lettre au général peut l'aider, je le ferai. Sinon, si les gens qui seront à la réunion ne sont pas d'accord, je la détruis. Maintenant, si vous voulez assister...

— Vous savez à quoi je pense ?

— A quoi, M. Olsen ?

— Je pense que vous me faites tirer les marrons du feu.

— Si c'est votre opinion...

— C'est un fait.

— Bon, admettons que je vous prenne pour bouc émissaire. Si ça ne vous plaît pas, vous n'avez qu'à me rendre cette lettre, et j'irai trouver quelqu'un d'autre.

— Qu'est-ce que ça cache encore ?

— Les marrons dans le feu ?

— Oui, qu'est-ce qu'il y a derrière ?

— C'est très simple.

Je lui dis que je comptais inviter une autre personne à la réunion, et que tout ce qu'il aurait à faire serait de me retrouver dans une heure à l'état-major et laisser les événements suivre leur cours. A sa façon de secouer la tête, je sus qu'il viendrait.

Je me rendis au City Hotel, rendis la clef du 303 et, une fois au troisième étage, ouvris la porte avec mon passe-partout pour une rapide inspection. La chambre était telle que je l'avais laissée, y compris le lit défait, mais les deux billets de banque avaient disparu. Je refermai, et allai frapper au 346. Pierre vint ouvrir comme d'habitude ; il ne sembla pas me relier aux incidents de la veille au soir, et à la réflexion, à part un rapide interlude avec une jeune femme, il n'avait aucune raison de soupçonner le moindre manège. Pendant qu'il allait chercher Burke, je lançai un coup d'œil à la corbeille à papier, qui était vide. Il n'y aurait donc aucune conséquence fâcheuse. Burke parut surpris de me voir. Je lui dis :

— J'ai beaucoup réfléchi depuis hier, et je compte faire une dernière tentative en faveur de M. Landry, un recours direct, d'homme à homme, au général commandant, en personne.

— Mon garçon, c'est tout à votre honneur.

Mais quand il apprit que j'avais déjà rédigé une lettre, l'air contrarié, il demanda à la lire.

— M. Burke, naturellement, j'aimerais votre opinion et je serais heureux de vous la soumettre, mais je n'en ferai rien pour une excellente raison : si mon initiative s'avère malencontreuse, si je ne réussis qu'à aggraver le cas de M. Landry. il ne pourra plus compter que sur vous pour renverser la vapeur. Mais dans ce cas, il est indispensable que vous puissiez jurer sur l'honneur que vous ignoriez le contenu de cette lettre. Et vous connaissant, je sais que vous ne feriez jamais un faux témoignage...

— Evidemment non !

— Aussi je leur en donnerai lecture d'abord.

— A qui la lirez-vous ? Et pourquoi ?

— A la bande d'officiers de l'état-major, pour plus de sûreté, pour voir leur réaction. Si j'ai commis une maladresse, je pourrai rectifier le tir, et vous pourrez peut-être intervenir. De toute façon, je crois votre présence indispensable.

J'étais certain qu'il n'oserait pas **ne pas** venir. Il me regardait, de ses yeux chassieux, avec circonspection.

— Mon garçon, je trouve cela bien étrange.

— Si vous ne voulez pas y aller, M. Burke...

— J'irai, mais... Qu'est-ce qu'il y a dans cette lettre ?

— Que puis-je dire d'autre que : « Je vous en prie, rendez-lui la liberté ! »

Il me bombarda de questions, mais maintenant que je savais qu'il viendrait, je reprenais confiance et lui répondis avec toutes les apparences de la loyauté. Comme il n'avait plus le choix, il prit son manteau et son chapeau. Dehors, je hélai une voiture, mais en montant il dit au cocher :

— Nous allons chercher une autre personne. Arrêtez-vous chez Lavadeau, le marchand de vêtements.

Il se précipita dans le magasin, sans doute pour essayer de savoir ce que Mignon pouvait avoir appris de mes projets. Quand il ressortit, elle l'accompagnait, les yeux emplis de questions. J'étais descendu, moi aussi, et tandis que nous traversions le trottoir, je lui dis :

— Mme Fournet, j'espère que vous approuverez mon initiative. Ce sera merveilleux si nous tombons tous d'accord. Mais, avec ou sans votre accord, en ma qualité d'avocat, je dois faire ce que j'estime être le mieux. J'en prends la pleine responsabilité.

— Eh bien, si vous refusez de me mettre au courant...

— Vous le serez, en temps utile.

Nous nous parlions très froidement, et il ne sembla pas saisir que nous jouions la comédie. Il l'aida à s'installer dans le fiacre et s'assit à côté d'elle ; je pris la banquette d'en face, et vis ses yeux parcourir mon visage, avec une expression quasi bovine très bien imitée. A l'état-major, il voulut attendre qu'on envoie un garde chercher M. Landry, mais les choses changèrent quand Olsen sortit du bureau du télégraphe.

— Pas de journaliste ici ! rugit Burke en pleine panique. Ça flanquerait tout par terre, mon garçon ! C'est le général qui lance les convocations ! C'est la coutume !

Elle abonda dans son sens, lui donnant la réplique jusqu'à ce que je hausse les épaules :

— Olsen restera avec nous. Il nous servira de greffier.

Sur quoi, je leur montrai le chemin.

IX

DAN Dorsey se montra surpris de notre irruption, dont je ne l'avais pas averti, mais nous offrit poliment des sièges et, quand je lui eus dit la raison de notre visite, envoya son ordonnance chercher davantage de chaises, puis alla chercher lui-même le commandant Jenkins. Il y eut quelques mondanités, et une série de présentations. Puis je m'adressai aux officiers :

— Messieurs, en qualité d'avocat de M. Landry, j'ai décidé d'adresser un recours, de personne à personne, au Général lui-même, pour lui demander la relaxe d'un citoyen qui n'a violé aucune loi, qui n'est même pas accusé, et dont le seul crime est d'avoir porté assistance à ses frères, les vétérans Confédérés, ce régiment dissous que notre armée essaie maintenant de reconstituer.

— Un instant, fit le commandant. S'il s'agit d'un appel à la clémence, il faut que la cour ait rendu son verdict auparavant. Or aucun verdict n'a encore été rendu, que je sache. Et s'il a l'intention de plaider l'innocence, comme vous le laissez entendre, il faudra d'abord qu'il s'admette coupable de façon à passer devant le tribunal. Tout cela me semble très irrégulier.

— C'est un appel à la raison. Au simple bon sens.

— Basé sur des preuves formelles ?

— Vous y voilà, Commandant.

— Les preuves doivent être examinées par la Cour.

— Commandant, le Général commandant en chef est souverain absolu. Il a plus d'autorité que la Cour, et encore bien plus que vous. Est-ce à vous de décider quelles lettres il a le droit de recevoir ?

Ceci le calma quelque peu. Mon regard croisa celui de Mignon ; peut-être crut-elle y lire un appel, toujours est-il qu'elle lança d'un ton glacial :

— Un instant ! Je tiens à ce que notre homme de loi soit mis au courant !

— N'ayez crainte, dis-je, j'ai bien l'intention d'en référer à lui. Mais avant tout, je tiens à lire ma lettre à ces messieurs, pour des raisons de phraséoloie, de façon à ne pas nuire à votre père...

— Vous la corrigerez avant la rédaction définitive ? s'enquit Dan.

— Exactement, avec l'aide du juriste.

— Dans ce cas, c'est très bien, approuva Mignon.

Je les regardai l'un après l'autre ; ils semblaient tous inquiets, chacun pour des raisons différentes, sauf Olsen qui, lui, s'ennuyait ferme et à qui nul ne prêtait attention. C'était exactement ce que j'avais souhaité. Je commençai de lire à haute voix, et dès les formules préliminaires comme « j'attire respectueusement votre attention » je sentis qu'ils m'écoutaient à peine. A la fin du préambule « le fond du problème réside dans l'intention délictueuse » le commandant bâilla ostensiblement. Il redevint soudain très attentif en m'entendant lire avec calme : « Bien que nous n'ayons nullement l'intention de nier que M. Landry ait fait une expédition de souliers, ni même qu'une partie de cette cargaison ait abouti chez Taylor, nous insistons sur le fait qu'aucune preuve n'a pu être apportée que M. Landry ait prévu cet événement, ou a fortiori s'en soit rendu complice, et nous nous opposons formellement au principe qu'un homme puisse être tenu pour criminellement responsable d'actes commis par l'ennemi. Nous trouverions inadmissible, Votre Honneur, que le Président de notre pays vous place sous arrestation chaque fois qu'une bande de partisans Confédérés s'empare de quelques-uns de nos équipements. »

— Hé, là ! Hé, là ! s'écria le commandant.

— Ça devient beaucoup trop personnel, fit Dan.

— Je veux notre homme de loi ! explosa Mignon.

— Eh bien, allez le chercher, ripostai-je.

Elle se garda bien de bouger, et le commandant se mit à aboyer :

— Pour votre propre intérêt, laissez le général en dehors de cette histoire !

— C'est moi qui écris cette lettre, pas vous.

— Bill, implora Dan, tu as bien demandé notre avis ?

63

— Sur le style, fis-je. La formulation et rien d'autre.

Un silence glacial s'établit, et je lui laissai le temps de se dissiper, certain désormais qu'après ce que j'avais déjà lu, personne ne quitterait la pièce. Puis je repris ma lecture :

— Après avoir loyalement examiné l'intention, il m'apparaît inconcevable que M. Landry ait pu agir de façon déloyale. Sa collaboration de longue date avec l'armée du Golfe dans un but de reconstitution économique et humaine, en achetant leur coton à ceux avec qui l'on essaie de pactiser, en le revendant avec l'aide d'un associé dûment approuvé par l'armée du Golfe, ses dons amicaux à certains membres du personnel militaire qui se chargent d'expédier les cargaisons de coton...

— Donnez-moi cette lettre, grinça le commandant.

— Je ne l'ai pas encore remise à qui de droit.

— Vous insinuez je ne sais quelle corruption, et je vous préviens, puisque vous êtes inscrit comme le conseiller légal de cet homme, que vous êtes assujetti à la loi martiale, et que je n'hésiterai pas à vous poursuivre.

— Sous quel motif ?

— Refus d'obéissance. Donnez-moi cette lettre !

Je feignis de réfléchir, puis :

— Eh bien, pourquoi pas ? Ça nous ferait gagner du temps. Olsen en possède une copie, et ma mise en accusation l'autoriserait à en faire état dans son journal...

Il finit par apercevoir le précipice dans lequel je le poussais, et quand je lui tendis la lettre, il s'en éloigna comme d'un tisonnier chauffé à blanc. Il se leva vivement, et continua de reculer tandis que je le suivais tout autour de la pièce, la lettre pointée vers lui, tout en disant :

— Dites-m'en plus long sur la loi martiale, et je vous en dirai plus long sur la corruption.

Je me demandais quand Burke allait craquer, et il semblait que le moment fût venu, car il laissa échapper :

— Commandant, puis-je clouer le bec à ce salopard ?

Sur ce, il me lança :

— Si Adolphe Landry ou moi-même avons distribué ne serait-ce qu'un cent à un membre quelconque de cette armée, dites-moi quand. Allez, parlez, puisque vous êtes si malin !

— Pas plus tard qu'hier, fis-je. Ravi que vous m'ayez posé la question.

— Hier ? Et à qui donc, je vous prie ?

— A notre élégant commandant, ici présent.

Il respira comme un soufflet de forge, puis :

— Vous mentez, Cresap ! C'est une de vos sales inventions !...
Combien ?

— Au moins cent dollars, M. Burke.

— C'est... C'est ridicule ! exhala le commandant.

Mais il manquait de conviction, et je pris tout mon temps pour
sortir mon billet déchiré et le leur passer sous le nez. A Burke, je
dis :

— Vous pouvez constater qu'il s'agit bien du billet de cent que
vous m'avez offert hier matin, dans mon appartement du
Saint-Charles, pour que j'assiste M. Landry — billet que je vous ai
refusé tant que je n'aurais obtenu aucun résultat positif...

Puis soudain, je m'attaquai au commandant :

— Quant à vous, vous pouvez constater qu'il s'agit bien du
billet avec lequel vous avez payé M. Lucan qui venait vous livrer
une caisse d'alcool.

Ensuite, je lançai à la cantonade :

— C'est ce même billet que j'ai racheté à M. Lucan cent un
dollars « afin d'avoir un gros billet sur moi pour impressionner
mes amis ». J'espère que vous êtes suffisamment impressionnés !

Je rangeai tranquillement le billet dans mon portefeuille, et fus
si surpris de voir tout à coup un poing s'agiter devant mon nez
que je fis un bond en arrière. Burke vociférait :

— Salaud ! Menteur ! C'est ça, votre appel à la raison ? C'est
un coup monté pour faire un scandale ! Je ne veux pas en
entendre davantage !

Puis, à Mignon :

— Venez, jeune fille ! Je vous en prie ! Allons-nous-en !

Là-dessus, il fonça vers la porte, mais ma canne, tombant
malencontreusement, se prit entre ses jambes et il s'étala sans la
moindre grâce. Si lourd qu'il fût, je le soulevai par le col et le
rejetai comme un paquet sur sa chaise.

— Restez donc avec nous, lui dis-je. Il se pourrait qu'on ait des
questions à vous poser.

Attirées par le bruit, trois sentinelles firent irruption. Dan les
renvoya, brossa de la main le pantalon de Burke et lui tendit un
verre d'eau. Olsen, de nouveau intéressé, me regardait, ainsi que
Mignon, anxieuse de ne pas manquer sa réplique. Moi, j'étudiais
le commandant, assis et prostré, me demandant quelle attitude
adopter à son égard. Il me posait un problème. Je l'avais
pratiquement pulvérisé, mais si je poussais mon avantage à fond,
il risquait de se rebiffer et de nous entraîner avec lui dans une
mélasse encore plus gluante que celle où nous nous débattions
tous. Il me fallait le rasséréner, lui rendre un semblant d'amour-

propre, de sorte que ma prochaine bombe le projette de mon côté à peu près intact au lieu de le réduire en morceaux inutilisables. Comme il s'essuyait le front avec son mouchoir, je lui dis :

— Commandant, j'aimerais qu'une chose soit bien nette. Vous avez employé le mot corruption, ce que je n'ai jamais fait. Vous aviez consenti à minimiser l'accusation par pure humanité, et il me semble que quelques bouteilles de champagne en remerciement de votre geste ne constituaient qu'une simple politesse.

— Tout ça n'est qu'un tissu de mensonges ! rugit Burke.

— Je n'ai rien admis ! grogna le commandant.

— Mais cela ne cachait-il pas autre chose ? demandai-je.

— Qu'est-ce que vous allez encore nous sortir ?

— Commandant, fis-je calmement, vous avez été dupé. Loin de vous faire un cadeau pour vous remercier de votre humanité, cet homme a tenté de vous utiliser pour détruire l'image de l'armée...

— Encore un mensonge ! brailla Burke.

— Dans quel but l'aurait-il fait ? demanda le commandant.

Je lui expliquai les conséquences de la manœuvre sur l'association des deux hommes, mais il m'interrompit très vite :

— Evidemment, n'importe quel Rebelle prend un risque en se faisant parrainer, mais en quoi un procès pouvait-il arranger Burke ?

— Ça aurait tout de suite liquidé l'affaire.

— Quand bien même ? Ça valait mieux pour Landry que la prison ! Et quelle preuve avez-vous de ce que vous avancez ? Bon Dieu, de simples soupçons ne suffisent pas !

— J'ai une preuve. On vous a pris pour un pigeon.

— Quelle preuve ? Mais parlez, à la fin !

— C'est Burke l'auteur des lettres anonymes.

— Allons donc !

— Vous ne me croyez pas, commandant ? Je ne peux pas vous le reprocher, je n'en aurais pas cru mes propres yeux, si je n'y avais été forcé. Mais vous me croirez si vous voulez bien me montrer la dernière lettre, celle que vous avez dû recevoir ce matin, dans laquelle on cite Rod Purrin du vapeur *Nebraska*, et où l'on dit que les souliers ont été envoyés comme cadeau de Noël.

Son menton s'affaissa, et il finit par adresser à Burke un regard venimeux. Quittant la pièce, il revint peu après avec l'enveloppe que j'avais déjà vue le jour du Mardi gras. Dénouant les rubans, il en tira une feuille du même papier à quatre sous et l'étala sur la table. On y lisait, en caractères d'imprimerie :

66

10 FEVR 1864

MSIEU GENERAL COMANDAN,
ROD PURN SECOND METRE NEBRASKA A DEBAR-
KE LES SOULIES A MORGANZA DANS DES SACS
POSTO QU'ADOLFE LANDRY AVAIT PREPARE POUR
LUI. IL A DIT AU CAPTAIN DU NEBRASKA QUE CETE
DES CADO DE NOEL POUR LES ENFAN DES REBEL.
MSIEU GENERAL SI VOUS ME CROYEZ PAS DEMAN-
DEZ AU CAPTAIN GOULD IL VOUS DIRA TOUT COM-
ME MOI MAIS TAYLOR A U LES SOULIES. DETAILS
SUIVRON.

LOYAL PATRIOT

Quand la lettre eut fait le tour de l'assistance, je tirai de ma
poche mon puzzle reconstitué :
— Très bien, maintenant jetez un coup d'œil sur ceci, que j'ai
ramassé dans la corbeille à papier de Burke hier soir à huit heures
moins le quart.

10 février 1864
10 FEVR 1864

Au Général Commandant,
MSIEU GENERAL COMANDAN,
Rod Purrin, le second maître du *Nebraska* a débarqué
ROD PURN SECOND METRE NEBRASKA A DEBAR-
KE
les souliers à Morganza dans des sacs postaux qu'Adolphe
Landry avait préparés
LES SOULIES A MORGANZA DANS DES SACS POSTO
QU'ADOLFE LANDRY AVAIT PREPARE
pour lui. Il a dit au capitaine du *Nebraska* que c'étaient des
cadeaux de Noël
POUR LUI. IL A DI AU CAPTAIN DU NEBRASKA QUE
CETE DES CADO DE NOEL
pour les enfants des Rebelles. Monsieur le Général, si vous ne me
croyez pas,
POUR LES ENFAN DES REBEL. MSIEU GENERAL SI
VOUS ME CROYEZ PAS
demandez au capitaine Gould, il vous le dira tout comme moi,
mais Taylor
DEMANDEZ AU CAPTAIN GOULD IL VOUS DIRA
TOUT COMME MOI MAIS TAYLOR
a eu les souliers. D'autres détails suivront.
A U LES SOULIES. DETAILS SUIVRON.

Un Loyal Patriote
LOYAL PATRIOT

67

— Vous avez gagné, murmura le commandant, se laissant lourdement tomber sur son siège.

Je remis ma pièce à conviction dans ma poche.

— Dans ce cas, si vous faites amener le prisonnier et ordonnez sa remise en liberté, je déchirerai ma lettre au général, et nous oublierons ce malheureux incident.

— Malheureusement, je ne peux rien faire.

— Pourquoi pas, commandant ?

— L'identification de l'informateur apporte un éclairage nouveau à l'affaire, c'est évident. Mais cela ne change rien à la matérialité des faits.

— Quelle matérialité ? Vous ne pouvez rien prouver.

— C'est à la cour d'en décider.

— Désolé, commandant. C'est à vous de décider.

Il parut surpris ; je repris :

— En l'absence d'un **habeas corpus**, le Président du tribunal militaire doit dire si la preuve justifie le maintien de la plainte. Je prétends, moi, que cette preuve n'existe pas, donc ne justifie aucun procès.

— Mon intime conviction...

— Je peux vous donner la mienne.

— Parlez.

— Le billet que j'ai dans mon portefeuille et cette lettre reconstituée que je viens de vous montrer me suffisent amplement pour démontrer votre collusion — moyennant un pot-de-vin de cent dollars — avec un escroc dans le but de dépouiller un innocent.

— Mais c'est faux ! Je ne savais rien de tout ça !

— Je le sais bien. **Mais je peux quand même prouver le contraire !**

— Parle moins fort, Bill ! m'enjoignit Dan.

— ET POURQUOI PARLERAIS-JE MOINS FORT ? hurlai-je.

Il se précipita pour fermer la porte, tout comme l'autre fois, et je sentis que je tenais le bon bout, aussi quand il se précipita sur moi pour me faire asseoir de force, ne résistai-je pas. J'écoutai attentivement ses paroles :

— Bill, après tout, c'est une affaire qui demande réflexion. Ton client est en prison, et tant qu'il y est, tes menaces et tes cris ne peuvent que lui faire du tort. Maintenant, es-tu prêt à discuter calmement, oui ou non ?

— C'est exactement ce que je veux.

— Très bien. Reprenons.

— D'accord. Calmons-nous.

Me levant, je tapotai Mignon sur la joue. Puis je tapotai Dan sur la joue. Je tapotai Olsen sur la joue. Je me plantai devant le commandant, et quand je le sentis prêt à l'accepter, je le tapotai sur la joue. Je vins alors sur Burke et lui flanquai une bonne gifle. Puis je retournai m'asseoir.

— Bon, dis-je. Examinons l'affaire d'une façon calme et raisonnable. Nous nous trouvons placés devant un simple dilemme, un dilemme qui aurait un manche et une lame, comme un poignard. Le bon côté, celui du manche, est que le commandant, maintenant qu'il connaît la vérité, peut admettre que, comme tout être humain, il a pu commettre une erreur et classer l'affaire séance tenante. Côté lame, s'il refuse de classer l'affaire, je serai obligé de remettre ma lettre au général. Ceci entraînera l'intervention d'Olsen, qui s'empressera de publier tout ce qui s'est dit ici. Et cela nous amènera le comité Gooch, que nous ne devons pas oublier. Gooch enverra une commission d'enquête, à laquelle il faut songer aussi. N'allons pas plus loin pour l'instant, mais nous sommes bien obligés d'admettre que les conséquences risquent d'être fort déplaisantes. Sincèrement, je ne pense pas que le commandant se soit laissé corrompre, il est bien trop orgueilleux. Pour moi, c'est un honnête homme qui s'est laissé entraîner sans le vouloir, et n'a pas su se dégager à temps. Malheureusement, les apparences sont contre lui, et...

— Vous essayez de me menacer ? fit le commandant.

— Vous menacer ? criai-je. Mais enfin, bon Dieu, je parle anglais ou patagon ? Vous montez chercher M. Landry, et vous classez l'affaire tout de suite, sinon, **bougre d'abruti de fils de garce** JE VOUS FAIS FOURRER EN TAULE !

— Bill, tais-toi ! chevrota Dan.

— Essaie de me faire taire ! gueulai-je.

— Bon, très bien, geignit le commandant, je vais faire réviser l'affaire. Revenez demain, et...

— Je vous donne cinq minutes ! Libérez M. Landry, ou...

— Mais je ne peux...

— **Va le chercher !** aboya Dan.

Le commandant se précipita dans le couloir, puis les choses se déroulèrent si vite qu'elles se bousculent dans ma mémoire. D'abord, Mignon courut vers moi, et devant Dan, devant Burke, devant Olsen et devant l'ordonnance, elle commença de me baiser les mains. Ensuite, je revois Landry, une valise de cuir à la main, et elle se jeta dans ses bras, l'embrassant et lui murmurant des tas de choses en français. Puis ce fut le tour du commandant, avec des papiers qu'il me donna à signer, et je dis à Mignon d'emmener son père dehors, et de m'attendre dans la voiture. Mais avant cela, Burke s'interposa, grommela du français auquel elle grommela en retour, tandis que son père l'apaisait d'un ton amène. Alors Olsen s'en alla, très solennel, prenant congé en ces termes : « Vous leur avez tendu un piège, je vous ai servi d'appât, c'est de bonne guerre. Votre fidèle appât vous salue bien bas. » Alors il y eut Burke, Dan, le commandant et moi, mais quand Burke voulut s'éclipser, Dan lui barra le passage et dit au commandant : « Je crois que vous feriez bien de garder cet homme, dans votre propre intérêt. » Ce qui fait que le commandant et son ordonnance emmenèrent Burke en direction de la salle de police.

Alors il y eut Dan et moi. Je lui tendis la main, pour le remercier ; il ne sembla pas la voir.

— Bill, me dit-il, je n'oublierai jamais cette journée. Je t'introduis ici, je te rends tous les services possibles, à titre amical... et en guise de remerciement, tu me fourres dans la panade.

— Je me devais à mon client...

— Ah ! Un client compte plus qu'un ami pour toi !

— Dan, je t'en prie, je suis déjà suffisamment honteux...

— Oh, il ne faut pas ! Je te prie d'accepter mes plates excuses !

Il n'attendait que l'occasion de m'envoyer un bobard au sujet de Mignon, aussi demeurai-je muet pour ne pas la lui fournir. Il attendit, puis me voyant toujours silencieux, finit par me dire :

— Te voilà dans le coton jusqu'au cou ; ce coton qui pourrit tout ce qu'il touche. Les choses et les gens.

— Je ne suis pas encore pourri, tu sais.

— Tu l'es sans le savoir. Mais tu l'es.

X

POUR me faire honneur, M. Landry descendit du fiacre et m'y fit monter avec force saluts, puis s'assit de façon à laisser Mignon entre nous. Ils habitaient Royal Street, dans le prolongement de Saint-Charles Street, de l'autre côté du Canal, aussi dis-je au cocher de les y emmener.

— Mais vous vous arrêterez d'abord à l'hôtel Saint-Charles, c'est là que je descends.

Il me semblait que, selon les règles du jeu, elle aurait pu dire : « Je descends là aussi », mais elle lança :

— Avant l'hôtel, vous vous arrêterez chez Lavadeau, c'est là que je vais.

Elle ajouta, à l'intention de son père :

— Il faut que j'aille travailler.

Il lui caressa la main, puis s'adressa à moi par-dessus elle :

— M. Cresap, je ne vous remercierai jamais assez pour ce que vous avez fait — et je n'ai toujours pas compris comment vous avez réussi. Mignon a bien essayé de m'expliquer, mais la loi n'est pas son point fort.

— Ni le mien, répliquai-je. C'est un journaliste qui a servi de clef de voûte.

— Ah ! Je commence à comprendre.

— Je serai ravi de tout vous raconter en détail. Voulez-vous dîner avec moi ce soir, ainsi que Mme Fournet ?

— Qu'en dis-tu, ma fille ?

— Eh bien... J'en serai ravie.

— M. Cresap, nous sommes très honorés.

— Parfait, je vous attendrai vers sept heures.

Pour une fois, le soleil brillait, et je remarquai qu'il était agréable de penser à autre chose qu'à des souliers, ce qui provoqua aussitôt la curiosité de Mignon :

— Au fait, pourquoi as-tu acheté ces souliers ? Tu ne savais pas que ça pouvait t'attirer des ennuis ?

— Ma fille, ils étaient très bon marché.

— C'est la seule raison ?

— Vingt-cinq cents la paire, c'est un prix auquel aucun commerçant ne peut résister. L'armée les mettait au rebut, toutes les tailles étaient mélangées. Mais en les achetant par grosses, je pouvais les réapparier, avec une perte sèche de sept paires seulement sur douze douzaines. Pour un total de trente-six dollars, sacs de jute compris, port compris, c'était rendre service à nos gars à bon compte !

— Pourquoi n'as-tu pas dit ça aux officiers ?

— Ils ont dit que c'est Taylor qui en avait profité.

— C'est vrai. Il en a eu une partie.

— **Comment** ?

— Ils se sont rendus à son camp. Ils n'étaient pas tous prisonniers sur parole, aussi certains d'entre eux, ceux qui avaient des souliers, ont voulu recommencer à se battre, et ils se sont ralliés à Taylor. Maintenant je peux l'avouer, j'étais mort de peur à l'idée que l'un d'eux se fasse capturer par une patrouille de l'Union. **Mes** souliers à **ses** pieds, c'était la pendaison pour moi.

— Mon Dieu ! Je suis contente de n'en avoir rien su !

— Tout est bien qui finit bien, fis-je.

— Oui, oui, dit-il d'un drôle de ton.

Nous étions arrivés chez Lavadeau et je sautai à terre pour l'aider à descendre. Elle embrassa son père, puis tomba en arrêt.

— Ton cou est sale, noir comme la queue d'un vieux corbeau ! Tu vas prendre un bain en arrivant à la maison ! Tu m'entends ? Tu vas aller dans la baignoire et te frotter partout !

— Ma chérie, je sors de prison.

— Je t'ai dit de prendre une brosse et de te récurer !

— C'est promis, inutile de mettre toute la ville au courant !

J'aidai Mignon à traverser la rue, soulevai mon chapeau et revins terminer mon voyage avec lui. Il me dit :

— M. Cresap, ma fille éprouve pour vous une admiration sans bornes.

— Je l'admire moi-même beaucoup.

— C'est une jeune femme gentille et sincère.

Cette conversation d'une totale platitude n'avait que d'assez lointains rapports avec la cérémonie triomphale que je m'étais imaginée. Toutefois, c'était son père, je devais le prendre tel qu'il était. Quand le fiacre s'arrêta, je lui serrai la main en lui disant à ce soir, et regardai le véhicule s'éloigner vers Royal Street. Puis, traversant la rue, j'entrai dans l'hôtel. J'avais la main sur la porte quand j'entendis un cliquetis de pas pressés ; tournant la tête, je la vis, qui courait vers moi en m'adressant de grands gestes. Volant à sa rencontre, je la pris dans mes bras au moment où elle s'arrêtait sur le trottoir, hors d'haleine. Elle dit :

— Je ne voulais pas... qu'il sache que je venais ici... passer la journée avec vous... il n'y a pas un endroit où s'asseoir ?

Je l'emmenai dans le petit salon pour dames, où nous nous assîmes jusqu'à ce qu'elle eût repris son souffle. Ensuite, je l'emmenai à mon appartement, et quand je l'eus débarrassée, elle se laissa tomber sur le sofa :

— Je voulais vous rattraper. J'ai couru si fort que j'ai un point de côté.

— Je vais vous frictionner.

— Posez simplement votre main, s'il vous plaît.

Prétextant que sa robe me gênait, j'introduisis ma main à l'intérieur, m'attendant à quelque résistance. Mais elle glissa une main dans l'échancrure et dénoua le ruban qui maintenait ses dessous pour me faciliter le passage. Ma main découvrit une chair douce et tiède, un doux et tiède duvet. Tandis que je pressais doucement l'emplacement de son point de côté, elle s'abandonna au creux de mon autre bras et murmura :

— Vous avez été merveilleux, Willie. Un lion ! Un véritable lion rugissant !

— Excusez mes gros mots.

— Oh, je connais tous les mots, ne vous inquiétez pas ! J'étais ravie quand vous l'avez traité d'« abruti de fils de garce » ! Ça m'a produit un effet extraordinaire ! Willie, je ne m'étais jamais doutée qu'un lion prendrait une telle importance pour moi. Un lion, mais c'est la plus belle chose du monde ! La plus belle...

Sur ce, elle éclata en sanglots.

— Que se passe-t-il ?

— Ce n'est rien. C'est de bonheur !

Elle pleura un moment, puis se serra contre moi et m'embrassa ; je la respirai toute, Cuir de Russie, chair, larmes et salive se mêlant en une bouffée capiteuse. Je lui demandai alors :

— Ce point de côté va mieux ?

— Il est parti ! Vous êtes un excellent docteur.

Je voulus retirer ma main, mais elle s'en saisit et la retint contre son corps. Je la soulevai et l'emportai dans la chambre.

Ce fut une journée de tempête et de folie, bien au-delà de ce que j'aurais pu imaginer, mais il y eut d'autres choses aussi, mélancoliques, intimes, mystiques et joyeusement stupides. Par moments, nous restions étendus côte à côte, à murmurer des riens. A d'autres, elle explora les moindres recoins de mon corps ; ma cicatrice la fascinait. Elle voulut absolument savoir comment je l'avais récoltée, chose qu'un soldat préfère oublier, mais je le lui dis : mon repli quand les Rebelles surgirent de la forêt, ma chute sur le sol, le violent coup de sabre du Rebelle, la déflagration du coup de pistolet dans mes oreilles quand un de mes hommes l'abattit... Elle m'avait écouté avec passion ; elle embrassa la cicatrice, puis la caressa, se pelotonnant contre moi. Puis sautant du lit, elle glissa ses pieds nus dans ses chaussures et se mit à parader ainsi devant le trumeau.

— Tu crois que c'était toi que j'étais venue voir ? Tu te trompes. Je suis venue pour ce grand miroir... Je voulais savoir si je prenais du ventre ! Qu'est-ce que tu en penses ?

— Non, tu n'en as pas.

— C'est ton intérêt de le dire !

— Je dis toujours ce que je pense.

— As-tu déjà remarqué qu'une fille nue n'est rien d'autre qu'un objet ? Rien qu'un amalgame de chair, de creux et de bosses qui s'agitent dans tous les sens ? Mais dès qu'on lui met des chaussures à hauts talons, elle se transforme en nymphe... comme les nymphes de pierre dans les jardins, qui font couler de l'eau d'un vase.

— Jusqu'ici, je n'avais jamais vu de femme nue.

— Tu as vraiment raté quelque chose !

Ce que j'avais raté était si beau que je ne pouvais en détourner les yeux, même si je me sentais coupable. Ses formes étaient rondes, fermes, harmonieuses, mais par-dessus tout, sa façon de bouger me ravissait. Cela provenait, me dit-elle, de la façon dont elle avait été élevée, au couvent de Grand Coteau :

— Ils vous obligent à marcher comme une grande dame, que vous le vouliez ou non ; ils ne vous laissent pas vous traîner comme un chameau !

Je lui demandai si elle était catholique.

— Non, mais les religieuses essaient de vous catéchiser, quelles que soient vos idées, si vous leur semblez bonne à prendre. Apparemment, je l'étais, mais en réalité je suis épiscopalienne.

Elle se montra ravie que j'appartienne à la même croyance, et voulut savoir où j'avais été élevé. Je lui parlai du collège de Saint John, ce qui l'aiguilla sur sa petite enfance à Alexandrie, et sa meilleure amie, Hilda Schmidt, qui habitait la maison voisine. Elles jouaient toujours ensemble, se poursuivant de la cave au grenier, jusque sur le toit en passant par les fenêtres à tabatière. Puis un jour, Hilda était morte d'une mauvaise fièvre... M. Landry possédait un immense entrepôt, avec un appartement au-dessus, où il habitait. Il louait la moitié de son local à M. Schmidt, qui fabriquait et vendait du sucre de canne. Elle adorait manifestement Alexandrie. Puis elle changea abruptement de sujet :

— Où vas-tu nous emmener ?

— Ce soir ? Tu connais les restaurants, dis celui que tu préfères.

— Pourquoi pas Galpin ?

— Va pour Galpin.

— C'est le plus proche de chez nous, Willie, et après dîner nous monterons tous les trois à la maison, et je te montrerai des gravures d'Alexandrie. Tu verras comme c'est beau.

— Je sens que j'adorerai ça.

— Ah ! Incidemment : j'ai travaillé aujourd'hui !

— Chez Lavadeau, n'aie crainte, je ne me couperai pas devant ton père.

— Très bien. Je me sens complètement épuisée... Je vais rentrer me changer à la maison pour te faire honneur au restaurant. Mais si j'avais su ce qui se mijotait aujourd'hui à l'état-major, je me serais habillée un peu mieux. Il me reste quand même quelques vêtements corrects d'avant la guerre.

— Je t'ai trouvée très élégante. Me suis-je plaint ?

— Non, mais j'ai ma fierté.

Tandis que je lui expliquais point par point pourquoi j'aimais sa robe, elle envoya valser ses chaussures et revint contre moi. J'ignore si elle crut tout ce que je lui dis de la perfection de ses formes, de leur doux balancement, de la douceur de sa chair, mais cela sembla lui faire plaisir, tant était grande ma conviction. Vers cinq heures, elle me donna un ultime baiser et se rhabilla.

— J'espère qu'ils vont pendre ce Burke !

Le dîner avait été succulent : cocktails, puis une soupe qu'ils appelaient une bisque d'écrevisse, du poulet et de la glace aux cerises à l'eau-de-vie, le tout arrosé de vin blanc, et nous avions beaucoup parlé. J'expliquai à M. Landry de quelle façon j'avais utilisé Olsen pour manœuvrer Jenkins, et il me fit des remarques pénétrantes, admettant la tactique que j'avais dû employer. Elle lui conta avec une foule de détails la façon dont je les avais cinglés, c'était le mot, **cinglés** ! Je mentionnai en passant les vingt-cinq mille dollars dont j'avais besoin, mais il réagit assez mollement, me donnant le nom d'un banquier auquel il pourrait m'adresser, mais sans montrer grand intérêt pour mon problème, et je savais pourquoi. Le percement d'un chenal menant du fleuve au Golfe, ne représentait pas une assez grosse affaire, tant pour lui que pour elle. Ils ne vivaient que pour Alexandrie, et nous allâmes voir Alexandrie sitôt la dernière bouchée avalée. Nous marchâmes jusqu'à leur appartement, qui occupait le deuxième étage d'un immeuble encadré par deux bars. Il y régnait une température étouffante, provenant d'une bouche de chaleur. Elle m'expliqua que la femme du propriétaire souffrait de paralysie et qu'il laissait le calorifère allumé en permanence à cause d'elle. Le mobilier était en noyer recouvert de crin. Il y avait un caoutchouc en pot et des devises encadrées sur les murs. Il alluma les candélabres, elle alla chercher son album, puis nous prîmes place devant la table et elle commença à tourner les pages.

Il y avait des gravures, des photographies et des aquarelles, et tous deux prirent un grand plaisir à tout me montrer en détail, les quatre appontements que possédait la ville, les rampes surplombant la rive du fleuve, les plates-formes à garde-fou au sommet :

— Des installations modernes et solides, me fit-il remarquer, pas comme ces quais pourris de Teche Bayou, grouillants de rats et de cafards, ou ces digues surle Mississippi, encombrées de tavernes, de coupe-gorges et de tripôts.

Ils me montrèrent les châteaux d'eau qui se profilaient derrière les arbres.

— Car il n'y a pas de puits à Alexandrie, toute l'eau nous vient du ciel, nous la captons grâce à des valves installées sur les toits. Nous possédons toutes sortes de réservoirs ; les grands que vous voyez sont placés en hauteur, de sorte que l'eau chauffe au soleil ; nous gardons les citernes d'eau potable dans les caves, où elle se tient toujours fraîche.

Puis ce fut le tour du nouvel hôtel, une énorme bâtisse en briques :

— L'un des plus beaux de tout le pays, seulement il était à peine terminé quand cette sacrée guerre a éclaté, et le mobilier n'est jamais arrivé !

Mais ce qu'ils aimaient par-dessus tout, c'était Front Street, la rue commerçante construite sur la rive même du fleuve. Des magasins alignés côte à côte, avec bien sûr le magasin Landry, juste au coin, tout à côté de l'hôtel, c'est-à-dire en face du quai principal, et son magasin jumeau, celui de Schmidt, le marchand de fourgons, tuyaux et chaudières. J'eus ensuite droit à la pierre tombale de Mme Landry, au cimetière de Pineville, bourgade située de l'autre côté du fleuve. A la fin, il me sembla connaître Alexandrie mieux qu'Annapolis, ma ville natale. Fermant l'album, il murmura rêveusement :

— Ce qui me manque le plus ici, c'est la propreté, la pureté de l'air... Mais après tout, c'est naturel. C'est à Alexandrie que commence le sud-ouest.

— Le sud-ouest est plus propre que le reste du pays ?

— M. Cresap, je vais vous dire...

— Appelle-le Bill, intervint-elle.

— Bill, le Texas est peut-être un pays desséché, poussiéreux et aride. Au Texas, un ranch, ce sont six piliers sur le devant, qui soutiennent le porche, et pas de piliers par-derrière car il n'y a rien à soutenir... mais c'est grand. Et propre.

— Il faudra que j'aille voir, un de ces jours.

— Vous pourriez voir pire.

Sentant que je m'ennuyais à mourir, Mignon remit la conversation sur les événements de la matinée, et c'est alors qu'elle dit souhaiter que Burke soit pendu. La réplique de son père me stupéfia :

— J'espère bien qu'on ne le pendra pas !

— Et pourquoi donc ? fit-elle ahurie.

— Ma chérie, il est toujours mon associé.

— Tu le considères encore comme tel ? Après tout ce qu'il t'a fait ?

— Il est toujours mon associé pour soixante mille dollars !

— Mais, père, comment peux-tu...

— Mignon, nous sommes enchaînés, liés l'un à l'autre ! Toutes mes affaires sont à son nom, et s'il ne fait pas valoir ses droits sur mon stock de coton, l'armée le saisira et j'aurai tout perdu ! S'il ne fait rien, je coule !

— Mais il t'a attaqué ! Il...

— Et qu'est-ce que je dois faire ? Lui rendre la pareille ?

— **Tu devrais le tuer !**

Son visage s'assombrit, et sur la table ses mains devinrent deux poings.

— J'en aurais le droit, c'est vrai. Il le mérite, et je sais que j'en suis capable. Mais cela me vaudrait la potence, et ne me rendrait pas mon coton. Et si jamais les militaires décidaient de le pendre, ou de le garder en prison, il ne pourrait pas signer les formulaires qui me permettraient de récupérer mes marchandises saisies. C'est vrai, rien ne me réjouirait davantage que de le voir se balancer au bout d'une corde, mais pas si ça me coûte soixante mille dollars !

— Alors, que comptes-tu faire ?

— Moi ? Rien. Je n'ai rien à faire.

— Tu te moques de moi ! Et explique-moi pourquoi ce matin, quand tu l'as vu, tu es resté amorphe ? Je m'attendais à ce que tu l'étrangles, et tu t'es contenté de lui dire bonjour !

— C'est exact. Amicalement.

— A ce serpent !

— A cet **associé**, ma chérie.

Je n'avais pas prévu une telle attitude, et pourtant je la comprenais ; je me sentais irrité en regagnant mon hôtel, et ne fus qu'à peine surpris d'apercevoir Dan qui m'attendait dans le hall d'entrée, et me faisait signe de le rejoindre. Je m'installai avec lui dans le coin où Olsen et moi avions conclu notre accord, et je lui demandai le mot de passe, plaisanterie à laquelle il ne prêta aucune attention. Il entra dans le vif du sujet :

— Bill, présente-toi à mon bureau demain matin à onze heures, pour répondre à certaines questions concernant Burke et les accusations que tu as formulées contre lui. Tu amèneras M. Landry, et aussi Mme Fournet.

— Eh bien, je pense que c'est possible.

— Ne « pense » rien, Bill. Viens, sinon tu le regretteras. Je ne suis venu ici ce soir que pour éviter une visite de soldats en armes chez Landry demain, et une promenade en ville pour lui et sa fille entre deux uniformes. Si tu m'assures que vous serez là tous les trois, ça m'évitera d'aller les faire chercher.

— Merci, Dan. Je te suis très reconnaissant.

— Inutile de me remercier, je ne fais pas ça pour toi. Ça me serait bien égal de te voir arrêté, mais **elle** m'a paru très gentille.

— Elle te saura gré de ta démarche, j'en suis sûr.

— Tu peux aller au diable !

— Je n'ai pas entendu ce que tu viens de dire. Je te les amènerai demain.

— Veilles-y ! **Et n'amène pas Olsen, cette fois-ci !**

XI

UNE fois de plus, sur le coup de onze heures, nous nous retrouvâmes dans le même bureau, aux places mêmes que nous occupions la veille, ou presque, Dan, Jenkins, Burke, Mignon, l'ordonnace de Dan et moi. Mais en plus, M. Landry était là, ainsi qu'un lieutenant-colonel Rogers, assesseur du président du tribunal militaire, un gardien chargé de surveiller Burke, et Pierre, le gippo de Burke, sanglé dans sa vareuse, son bonnet de marin à la main. Comme le lieutenant-colonel était le plus élevé en grade et en âge, tout le monde attendit qu'il ouvre la séance, ce qu'il fit après avoir longuement remué des paperasses. C'était un petit homme aux allures de notaire.

— Très bien, dit-il, nous allons commencer par cet argent que William Cresap prétend avoir été donné par le prisonnier Burke au commandant Jenkins. M. Cresap, vous avez toujours ce fameux billet de cent dollars ?

— Le voici.

— Vous avez assisté à la remise de ce billet ?

— Non, monsieur.

— Alors, comment savez-vous à qui et par qui il a été remis ?

— J'ai d'abord vu ce billet quand Burke me l'a offert en paiement de mes services, et ensuite une heure plus tard quand le commandant Jenkins l'a remis à un homme pour payer une caisse de champagne. Afin de le posséder comme pièce à conviction dans l'affaire Landry, j'ai acheté ce billet cent un dollars.

— Vous êtes certain que c'est bien le même ?

— Tout à fait certain.

— Qu'est-ce qui vous rend si affirmatif ?

— Cette déchirure.

— M. Cresap, ni Burke ni le commandant Jenkins n'admettent vos allégations concernant ce billet. Avez-vous un autre moyen de l'identifier ?

— Non, colonel Rogers.

— Vous reconnaissez que n'importe quel billet peut être déchiré ?

— Deux billets ne peuvent pas être déchirés exactement de la même façon.

— C'est vous qui le dites. Ils le pourraient.

— Pas au point de provoquer un doute raisonnable.

— M. Cresap, une déchirure n'est pas une preuve.

— Rien n'est une preuve quand on tient absolument à blanchir quelqu'un !

— Blanchir, avez-vous dit ? Que dois-je comprendre ?

— Vous avez très bien entendu, et vous savez ce que je veux dire.

Quand je saisis le but de ses questions, je sentis une fois de plus la moutarde me monter au nez, et me levai de ma chaise, mais M. Landry vint à moi et me fit rasseoir, essayant de me calmer. Le colonel Rogers commença à vitupérer les gens qui portaient des accusations mensongères et diffamatoires sans l'ombre d'une preuve, mais je l'interrompis :

— Criez plus fort, colonel, comme ça, vous croirez davantage à ce que vous dites !

Puis Mignon se lança dans la bagarre :

— Vous croyez qu'il n'a pas pris l'argent de Burke ? Vous auriez dû être là, hier, comme moi, et voir son expression quand M. Cresap lui a montré ce billet ! Pourquoi est-il devenu pâle comme un mort ? De quoi avait-il si peur, colonel, sinon de la vérité ?

— Ma fille, je t'en prie ! fit M. Landry.

— Tu essaies de me faire taire ?

Mais il la fit taire, en lui posant une main sur la bouche et en la repoussant sur sa chaise comme il venait de le faire pour moi. Le colonel Rogers se mit à tourner en rond, le visage écarlate, pour tenter de recouvrer son calme. Il finit par siffler :

— L'accusation de corruption est classée !

— Vous m'étonnez ! ironisai-je.

— Taisez-vous ! m'intima-t-il.

Il lui fallut cinq bonnes minutes pour se calmer, pendant lesquelles il tripota encore bon nombre de papiers. Puis il reprit, s'intéressant cette fois au brouillon de la lettre anonyme, dont j'avais recollé les morceaux. Je le déposai devant lui. Après l'avoir examiné, il déclara :

— Il ne peut faire aucun doute, du moins dans un esprit sensé, que la deuxième lettre de dénonciation et ce brouillon soient bien de la même main.

Son visage s'était fait encore plus solennel. Il parlait d'un ton froid, et je fus frappé d'une évidence. Maintenant que son collègue officier était blanchi, il allait se montrer moins coulant. En d'autres termes, le cas Jenkins-Burke était une chose, le cas Burke tout seul une autre paire de manches. Cherchant le regard de Mignon, je lui fis signe de se tenir tranquille. Elle fit oui de la tête, tandis que le colonel poursuivait :

— La question est : quelle main a écrit ces lettres ?

— La sienne ! cria Burke en me désignant.

— Silence !... M. Cresap, c'est vous qui avez recollé ces morceaux de papier ?

— Oui, monsieur.

— Où les aviez-vous trouvés ?

— Dans la chambre de Burke, au City Hotel.

Puis, sur sa demande, je lui expliquai comment j'avais découvert le brouillon, comment je m'étais inscrit sous le nom de William Crandall, comment j'avais fait fabriquer une fausse clef et comment j'avais fouillé la chambre avant de regagner mon hôtel pour recoller les morceaux. Tout en parlant, j'étais ennuyé du comportement bizarre de M. Landry qui refusait d'accabler Burke, et j'estimais, tout comme Mignon, que le moment était venu de mettre fin à une telle association. Puis, avançant dans mon récit, je flairai que j'allais au-devant de certains ennuis, et que le colonel savait probablement que j'avais eu une complice, et de quelle sorte. C'est alors que je commençai à éluder certains détails, pour protéger Marie. Après la façon dont je l'avais traitée, je n'avais pas le droit de l'impliquer dans cette affaire. En tant que propriétaire d'une maison de jeu, elle ne devait pas jouir d'une réputation sans tache, mais j'avais décidé une fois pour toutes de la traiter en dame de qualité. Le colonel en arrivait au point crucial :

— M. Cresap, voici où le bât nous blesse. Pierre Legrand, le domestique de Burke, ici présent, affirme qu'il n'a jamais quitté la chambre, donc que vous n'avez pas pu vous y introduire. Aussi, cherchez bien dans votre mémoire. Pouvez-vous apporter la preuve qu'il s'est absenté l'autre soir ? Pouvez-vous produire un témoin ?

— Je... Je dois reconnaître que non.

— L'employé de l'hôtel nous a révélé que ce jour-là, William Crandall avait pris une chambre pour une certaine Eloïse Brisson, et qu'une femme voilée est venue l'occuper. Est-ce exact ?

— Je préfère ne pas répondre.

— Vous devez parler, M. Cresap. Dans votre intérêt.

— Je cherchais des preuves, en ma qualité d'avocat-conseil, et en tant que tel, je me retranche derrière le secret professionnel.

— Vous devez nous répondre, pour corroborer votre accusation.

— Dans ce cas, considérez que je la retire.

— M. Cresap, les accusations ne sont pas des dettes, qu'un seul homme peut éponger selon son bon plaisir... Dans le cas qui nous intéresse, elles concernent un crime, celui de dénonciation mensongère. Vous avez porté ces accusations, il vous faut aller jusqu'au bout. Mais nous pensons qu'une seule personne peut les confirmer, cette dame en noir que la femme de chambre a aperçue en train de parler à Legrand sur le pas de sa porte, et qui peut très bien vous avoir servi d'appât pour l'attirer hors de la chambre. Il est indispensable que nous l'interrogions, mais nous n'avons trouvé trace d'aucune Eloïse Brisson dans les registres de la police, de la prévôté ou de la municipalité. S'agit-il d'un faux nom, M. Cresap ?

— Je n'ai rien à dire là-dessus.

— Mais vous ne niez pas ?

— Je m'abstiens de toute déclaration.

— Quel est le véritable nom de cette femme, M. Cresap ?

— Même si je le connaissais, je ne vous le dirais pas.

— Ne pouvez-vous pas la faire venir incognito, pour que nous puissions l'interroger ?

— Que je puisse ou non, je n'en ferai rien.

Pendant cet affrontement, Mignon s'était progressivement changée en nymphe de pierre, ou plutôt de marbre, et je n'osais plus soutenir son regard. Ce fut son père qui intervint alors :

— Colonel, puis-je placer un mot ? Dans le but d'éclairer la cour ?

Le colonel ayant consenti, il reprit :

— Personne, le connaissant, ne peut mettre en doute la parole de M. Cresap, pas plus d'ailleurs que celle de Frank Burke. Mais si cette lettre a bien été trouvée dans sa corbeille à papier, cela ne veut pas dire que c'est Frank qui l'y a mise ! Dans un hôtel, n'importe qui peut se procurer un passe-partout, et n'importe qui peut très bien avoir déposé cette lettre déchirée chez Burke pour faire porter les soupçons sur lui ! Quantité de gens me veulent du mal, ne serait-ce que tous ceux qui me doivent de l'argent ici même, à la Nouvelle-Orléans ! Je vous prie instamment de croire que tout ce qui vient d'être dit est vrai, et dans le même temps ne prouve rien du tout !

— C'est vous qui prenez la défense de l'accusé ?

— Frank Burke est mon ami.

— Et surtout votre parrain !

— Il est mon associé, et j'ai pleine confiance en lui.

Burke, qui l'avait écouté avec stupeur, finit par comprendre la manœuvre et serra énergiquement la main de Landry. Mignon prit le relais, d'une voix calme et douce :

— Autre chose, colonel Rogers. Frank Burke mène une vie irréprochable. Il n'aurait jamais laissé entrer une femme chez lui, surtout quelque fille des rues envoyée pour lui faire du tort ! Comment l'aurait-il pu, avec ce domestique qui reste à longueur de journée chez lui ?

— Dieu vous bénisse, ma chère enfant !

Burke lui tendit les mains, qu'elle prit et serra affectueusement. Le colonel observa ce jeu de scène, puis se retourna vers moi :

— Vous refusez toujours de nommer cette femme ?

— Je m'en tiens à ce que j'ai déjà dit.

— C'est bien vous qui avez prononcé le mot « blanchir » tout à l'heure ?

— ... C'est bien possible.

— Au sujet d'un de nos officiers ?

— Au sujet du commandant Jenkins, en effet.

— Mais quand on en vient à une autre personne, le parrain de votre client, par exemple, vous trouvez tout à fait normal qu'il soit blanchi, n'est-ce pas ? Vous consentez à dissimuler la preuve dont nous avons besoin pour l'inculper !

— Il ne s'agit pas de cela, colonel.

— **De quoi s'agit-il, alors ?**

Puis Mignon, n'y tenant plus, bondit vers moi en criant :

— **Qui était cette femme ?** QUI EST-ELLE ?

— Ma fille, je t'en prie !

M. Landry vint la prendre par le bras et la ramena vers sa chaise. Le colonel, sans leur prêter la moindre attention, me lança :

— Grâce à vous, Burke va se trouver blanchi, lui aussi.

— C'est votre problème.

— Je suis obligé de m'en tenir aux faits.

Sur quoi, il s'en prit à moi avec une telle hargne que je compris que son procès venait de lui couler entre les doigts. Dan demanda l'autorisation de prendre la parole. Le colonel la lui accorda d'un signe de tête. Il s'adressa à moi, d'un ton méprisant :

— Bill, nous savons très bien que vous avez tous menti, toi, M. Landry et Mme Fournet ; mais comme je te l'ai déjà dit, nous sommes plutôt coulants en ce qui concerne ce maudit coton, qui rend les hommes fous. Mais si tu t'imagines que tes silences vont permettre à Burke, à Landry et à Mme Fournet de récupérer leurs billes, tu te fourres le doigt dans l'œil. Par contre, si vous vous montrez coopératifs tous les trois, nous pourrons peut-être envisager un arrangement amiable... Hier soir, en perquisitionnant chez Burke, nous avons trouvé ce fameux contrat d'association ! Nous pouvons très bien le faire annuler pour manœuvres frauduleuses de la part de Burke ! Ça permettrait à M. Landry de redevenir seul propriétaire de sa marchandise. Maintenant que nous savons qu'il est innocent dans l'affaire des souliers, nous pourrions réenvisager sa situation... Mais si vous continuez tous les trois à faire cause commune avec Burke, alors tant pis pour vous ! Il se trouve que le mois prochain, quand l'invasion sera en marche, c'est moi qui m'occuperai des laissez-passer commerciaux, et je peux d'ores et déjà te jurer que cet escroc visqueux d'Irlandais ne mettra pas les pieds sur le bateau, et ça annulera tous les titres de propriété ! N'oublie jamais que c'est le parrain en personne qui doit venir sur place produire ses reçus de saisie, sans quoi il perd tous ses droits... et Landry aussi. Tu as bien compris ce que je viens de dire, Bill ?

— J'ai des oreilles.

— Mais tu refuses toujours de nous aider ?

— Je n'ai rien de plus à dire.

— Tu persistes à protéger Burke ?

— Je ne protège personne.

— **Si ! Si ! Il protège une femme !**

— Madame, taisez-vous !

Cela avait claqué comme une mèche de fouet, et elle se tut pendant une ou deux secondes, au bout desquelles elle s'adressa à Dan :

— Vous vous figurez que votre vieux bateau est la seule façon d'aller à Alexandrie ? Il y en a d'autres.

— Effectivement. A pied. Ou à la nage.

— Frank sera là-bas en temps utile.

— Eh bien, bonne chance.

Après avoir renvoyé le garde à ses quartiers, le colonel dit à Burke :

— Vous êtes libre.

Nous quittâmes ces lieux inhospitaliers. Une fois en bas, M. Landry me saisit par le bras :

— Je suis désolé, Bill, mais je n'ai pas les moyens de perdre tout cet argent. Je sais bien que Frank m'a fait un tort considérable, mais je n'avais pas le choix...

— J'ai compris. Les affaires sont les affaires.

— J'aurais peut-être pu l'accabler, mais...

— Ne vous excusez pas, je ne l'ai pas fait non plus.

— Bill, je dois avouer que vous m'avez surpris. Cette femme...

— Oh ! Allez donc au diable !

Je tournai les talons, rempli d'amertume et de fureur. Que lui et sa fille, après tout ce que j'avais fait pour eux, aient encore le toupet de me reprocher une chose que les militaires avaient parfaitement comprise — même le colonel — me mettait hors de moi. Il s'empressa, à mon ton, de changer de sujet, et mit sur le tapis mes honoraires d'avocat, que je ne lui avais pas encore présentés. Mais j'étais trop écœuré pour l'envoyer promener, et gagnai la sortie. C'est alors que quelque chose de chaud, d'humide et de gluant m'atteignit au menton. Mignon venait de me cracher au visage. La veille, la saveur et le parfum de sa salive m'avaient enivré, mais en cet instant j'éprouvai un tel dégoût que je faillis restituer mon petit déjeuner. Je courus dans la rue et attendis d'avoir tourné le coin pour tirer mon mouchoir et m'essuyer.

XII

DE retour à l'hôtel, je m'empressai de me laver le visage, puis je descendis prendre quelque nourriture. Ensuite, remontant chez moi, j'essayai de réfléchir. Je me sentais meurtri au-delà de toute mesure par son attitude envers moi, pour qui elle signifiait tant... J'avais été stupide, et n'avais pas d'autre solution que de l'oublier, de l'arracher de mon cœur définitivement, afin que nulle trace d'elle n'y demeure. Au bout d'un grand moment, j'arrivai à la conclusion que le meilleur moyen de l'oublier consistait à revenir à mon plan initial de trouver vingt-cinq mille dollars. Me rappelant la conversation de la veille, je me demandai si les banquiers n'étaient pas la solution, et comment je pourrais en contacter quelques-uns. Ma torpeur commençait à se dissiper, mais je m'illusionnais ; les démangeaisons viendraient plus tard, et mes véritables malheurs venaient à peine de commencer. Vers trois heures, on frappa à ma porte, mais j'attendis quelques instants avant d'aller ouvrir, me composant une attitude digne, au cas où ce serait elle qui viendrait faire amende honorable.

C'était l'ange gardien de Marie.

Sans me laisser le temps de placer un mot, il tira son épée, coinça un pied dans l'entrebâillement et appela, le tout en moins d'une seconde. Marie fit son apparition, dans la petite robe grise à broderies noires qu'elle avait portée l'autre nuit, à l'autre hôtel. L'homme me poussa à travers la pièce jusqu'entre les deux fenêtres, et quand ma nuque heurta le mur, me dit :

— Bouge pas.

J'obéis et elle s'approcha, m'agitant devant les yeux mes trois billets de vingt dollars ; m'obligeant à ouvrir la bouche, elle les enfonça dedans. Ces billets avaient traîné partout, et leur goût me parut abominable. Puis elle commença à me frapper ; sa première gifle me résonna dans toute la tête. Instinctivement, je cherchai à lui saisir le poignet, mais l'homme me piqua l'estomac de sa lame, m'ordonnant :

— Lève les mains ! Lève les mains contre le mur !

Ce que je fis, tandis qu'elle continuait de me gifler avec violence, les coups arrivant si vite que mes joues résonnaient comme un cuir à aiguiser les rasoirs. Son châle glissa sur ses épaules, et elle le jeta au loin. Sa jaquette se déboutonna, et elle la jeta au loin. Son chapeau lui glissa sur un œil et elle l'arracha, sans égard pour sa coiffure. Ses anglaises tombèrent, secouées devant son visage. A ce moment, elle était vraiment la Jézabel qu'elle s'était amusée à jouer pour détourner Pierre de ses devoirs. Et enfin, libre de toute entrave, elle ôta un de ses escarpins pour m'en frapper la tête.

Puis, à bout de forces, elle haleta :

— *Assez, assez, assez !*

L'homme m'autorisa à baisser les bras. Elle me dit :

— Allez vous nettoyer ! Ensuite, vous écouterez ce que j'ai à dire !

Je me dirigeai vers la salle de bains, mais fis une halte dans la chambre, où je crachai d'abord les billets sur le sol avant de prendre mon Moore & Pond dans ma valise. Je revins, le braquant sur eux, et l'homme lâcha aussitôt les deux morceaux de sa canne à épée. Posant un pied sur la lame, j'en saisis la garde, que je tirai à moi. Elle se brisa d'un coup, et je jetai les morceaux au pied du sofa. Quand je relevai la tête, elle cherchait à attraper son sac. Me rappelant le Derringer qu'elle y transportait, je renversai d'un coup de pied le guéridon sur lequel il était posé. Puis je ramassai le sac et le fourrai dans ma poche.

— Maintenant, dehors, tous les deux ! En avant, marche !

Elle dit :

— Laissez-moi me rhabiller, s'il vous plaît.

— Soit. Mais que lui s'en aille.

Je le menaçai de mon arme.

— Filez en vitesse, le plus vite et le plus loin possible. Quand je rouvrirai cette porte, si je vous trouve derrière, le couloir sera votre cimetière. Vous avez compris ?

— Oui.

— Oui qui ?

— Oui, monsieur.

— Je préfère. Allez !

Il devait déjà être dans la rue quand je refermai la porte. C'est alors que j'éprouvai, pour la seconde fois de la journée, une sensation d'humidité sur le visage, mais cette fois, ce n'était que du sang. Je pris mon mouchoir, mais elle s'en empara et commença de m'essuyer. Je la jetai par terre. Puis j'allai me nettoyer dans la salle de bains, me rinçant d'abord la bouche pour en ôter cet horrible goût d'argent sale. Quand je regardai dans la glace, je reconnus à peine mon visage, tant il était sanglant et tuméfié. Mais une fois lavé, essuyé et oint de teinture d'hamamélis, il reprit un aspect presque humain.

Quand je regagnai le salon, elle était toujours à terre comme une poupée cassée, petit tas de bouclettes blondes et de dentelles froissées d'où émergeaient des bras nus et de jolies jambes gainées de soie. Un seul regard, et je me sentis tout remué, non seulement par cette scène mais par l'accumulation des précédentes, dans le bureau de Dan et dans le hall de l'état-major. Toute la fureur dont je m'étais cuirassé se craquela d'un coup. M'agenouillant près d'elle, je la ramassai, me remis péniblement sur pied et la portai jusqu'au sofa. Je m'assis, l'attirant sur mes genoux, et examinai son menton, qui enflait déjà. Je me sentis fondre.

— Je suis désolé, Marie.

— Moi aussi, Guillaume. Excusez-moi.

— Je méritais cette correction. Ce qui m'étonne, c'est que vous ne soyez pas venue plus tôt.

— Dès le premier soir, j'ai su où vous habitiez. Croyez-moi, pour moi il a été *facile* de retrouver un...

Comme elle hésitait, j'achevai à sa place :

— Un Yankee avec une patte folle ?

— Non, un *ingénieur* aux cheveux dorés.

— C'est plus aimable, dit comme cela.

— Je suis venue hier matin, vous n'étiez pas là. Je suis revenue hier soir, vous n'y étiez pas non plus, alors je suis revenue aujourd'hui...

— Cette fois, j'étais au rendez-vous.

— Je vous ai déjà demandé pardon.

Je ne pouvais rien lui demander de plus. Soulevant les pieds, elle étendit les jambes, me les dévoilant presque entièrement. Puis :

— Guillaume, nous en revenons toujours au même point. Dès que vous êtes *gentil*, je redeviens une *gamine*. Aujourd'hui, je vous l'avoue, j'ai vraiment voulu vous humilier, vous avilir, vous briser. Je voulais détruire votre *élégance. Et après ?* Vous avez obligé Emile à vous dire « monsieur ». En un seul mot, j'ai retrouvé mon *grand seigneur.* Et que suis-je, moi ?

— Qui êtes-vous donc ?

— Regardez-moi donc ! Je suis une *créature* !

— Ce n'est pas le mot que j'emploierais.

— *Mais si,* je suis une rien-du-tout !

— Ne parlez donc pas comme une sotte !

— *Petit,* je ne suis qu'une *demi-mondaine* !

Puis soudain, au milieu d'un torrent de larmes, elle se mit à couvrir mon visage de baisers, s'attardant sur chaque plaie, chaque meurtrissure, se rapprochant peu à peu de ma bouche. Je l'embrassai en retour, et j'en avais vraiment envie. Elle continuait à dire :

— Auprès de vous, je me sentais une *grande dame* ! Je voulais le rester, mais je n'ai pas pu !

Je lui répliquais qu'elle était vraiment une grande dame, et qu'elle devait cesser de s'abaisser ainsi. Elle finit par se rasséréner, ses sanglots s'espacèrent à mesure qu'elle se laissait aller dans mes bras. Puis elle desserra ses vêtements et ne se défendit pas quand j'entrepris de les lui ôter.

Bientôt, elle n'eut plus sur elle qu'un petit pantalon de dentelle, ses bas retenus par des jarretières rouges, ses chaussures et quelques lambeaux de gaze translucide. Je la caressai, l'apaisai, et elle se mit à ronronner comme un jeune chat... Un très long moment après, elle demanda :

— Guillaume, pourquoi ne m'avez-vous rien dit ? Au sujet de Mignon ?

— Mignon ? Vous la connaissez ?

— Mignon Fournet ? Bien sûr.

— Comment aurais-je pu savoir ?

— Je la connais un peu. Mais Fournet, son mari, je l'ai trop bien connu ! Une fois qu'il a eu presque tout perdu pendant la guerre, il est venu chez moi et a perdu tout le reste... mais je lui ai rendu toutes ses pertes à la roulette et au vingt-et-un ! Je ne dois rien à Mignon, et...

— Elle n'est rien pour vous ?

— *Ah, non, rien de rien !*

— Exactement ce qu'elle est pour moi : rien.

— Alors, pourquoi s'est-elle disputée avec vous ce matin ?

— Vous savez cela aussi ?

— C'est mon travail de *joueuse,* de savoir tout ce qui se passe, mais je ne comprends pas pourquoi son père s'est réconcilié avec Burke.

Je lui expliquai alors les tenants et aboutissants de l'histoire.

— La réponse tient en un mot : l'argent. Quoi qu'ait pu lui faire Burke, il ne veut pas renoncer à ses soixante mille dollars. Peut-être ne m'a-t-elle insulté que parce que Burke était présent, pour lui prouver qu'elle était de son côté...

— Tout ça ne me semble pas clair.

— A moi non plus... Mais elle ne représente rien pour moi.

— Alors, pourquoi m'avoir abandonnée ?

— Si j'étais revenu, vous savez ce qui se serait passé ?

— Nous avions parlé de dîner, *non* ? Chez Antoine. Ensuite...

— Marie, j'aurais passé la nuit dans votre lit.

— Et *alors* ?

— J'avais beaucoup à faire cette nuit-là.

Je lui parlai de mon jeu de patience, de la lettre en deux exemplaires, de mes conciliabules avec Olsen.

— Tout cela devait être fait, sinon je n'aurais pas pu avoir Burke par surprise.

— Vous auriez pu m'expliquer tout ça.

— J'ai eu peur.

— De moi, Guillaume ?

— Plutôt de moi.

— Pourquoi ne pas m'avoir laissé un mot d'explication ?

— Honnêtement, j'ai eu honte.

— **Vous avez couché avec elle, cette fameuse nuit ?**

— Non, Marie, je vous le jure !

Elle remua tout cela dans sa tête, étendue contre moi avec le regard inquisiteur d'un joueur de poker évaluant le jeu de l'adversaire.

— Vous lui avez parlé des *pieux* ?

— Oui, hier soir après dîner, à elle et à son père. Ça ne les a guère intéressés. Si ce projet avait concerné la Red River, leur réaction aurait été toute différente.

— Fournet parlait comme vous.

Elle me parla alors du jeune homme venu de Teche Bayou qui avait monté un cabinet d'avocat ici, avait épousé Mignon, et s'était aperçu par la suite qu'elle ne pouvait penser à rien d'autre qu'à son pays natal.

— Elle est complètement *folle*.

— Ne le sommes-nous pas tous, plus ou moins ?

— Elle échafaude des combinaisons qui ne valent rien.

— Tout le monde peut avoir des coups de veine, Marie.

— Elle a embarqué Fournet dans le trafic du *coton de guerre*.

— Son père aussi, à ce qu'il semble.

— Pour Fournet, ç'a été une catastrophe.

— Pour M. Landry, tout peut encore s'arranger.

— Il est dedans jusqu'au cou, et pas près d'en sortir.

— Pour l'instant, il est bien sorti de prison.

— C'est bien grâce à vous, pas à elle !

Elle me parla encore de Fournet, de son effondrement moral après la ruine de son affaire, sa manie du jeu, son engagement dans l'armée, enfin de sa mort, et cela aurait pu durer encore longtemps si elle ne m'avait demandé, d'un ton très solennel :

— Guillaume, est-ce que vous l'aimez ?

— Je vous jure que non.

— Votre *demi-mondaine* pourrait vous aimer...

— Je ne connais aucune *demi-mondaine*.

J'ajoutai, assez solennel moi-même :

— Si certaine *grande dame* peut tomber amoureuse, un ingénieur le peut aussi.

— Elle pourrait même investir vingt-cinq mille dollars.

La façon comique dont elle prononçait « dollars » détourna mon attention du sens de sa phrase, mais quand il parvint à mon cerveau, mon cœur bondit dans ma poitrine et je dus avaler une boule de salive. Je dis :

— Pour cela, je vous devrai des tas de baisers.

— Et quoi d'autre, *petit* ?

— Marie, me parleriez-vous de mariage ?

— Pour une *demi-mondaine*, cela représente beaucoup.

— Considérez que je vous ai fait ma demande.

— Je suis épiscopalienne, comme vous.

— Et pas juive, comme j'avais compris.

Le souvenir de cet incident la fit rire, puis elle m'embrassa et sauta sur ses pieds :

— Les baisers d'abord, *petit* ! Puis-je aller soigner mon menton dans la salle de bains ?

— Faites comme chez vous, c'est par-là.

Elle y courut, revint quelques instants plus tard totalement nue, ses sous-vêtements et ses chaussures à la main. M'adressant un baiser de loin, elle pénétra dans la chambre. Je rassemblai le reste de ses vêtements ; quelqu'un pouvait toujours venir, et je ne voulais laisser dans le salon aucun motif de bavardage. Et soudain elle revint, toujours dévêtue, mais avec une démarche de très vieille femme, et se laissa tomber dans un fauteuil.

— Marie, pour l'amour de Dieu, que se passe-t-il ?

— Guillaume, vous m'avez menti.

— Je vous jure que non !

Du fond du cœur, je n'avais pas conscience d'avoir menti. J'avais pris des décisions catégoriques, à la lueur desquelles ce qui s'était déroulé la veille n'avait plus la moindre importance. J'avais tiré un trait définitif, ce dont j'essayai de la convaincre, avec l'impression abominable de parler à un mur. Elle alla chercher ses affaires dans la chambre. Elle se rhabilla très vite, remit son voile en place puis me dit avec beaucoup de dignité :

— Guillaume, j'étais tellement heureuse d'aller dans votre lit, je ne pensais qu'au plaisir que je voulais vous donner... Puis, d'un coup, j'ai senti son parfum. Je ne peux pas me tromper sur le Cuir de Russie, c'est sa *marque de fabrique* et le lit en est imprégné. Ça m'a rendu malade... Je comprends bien pourquoi vous avez menti... mais cette odeur... C'est trop dur pour moi, je dois m'en aller.

— C'est à cause de vous qu'elle m'a insulté.

— Je sais, parce que vous m'avez protégée.

— J'ai refusé de donner votre nom.

— Ainsi parla mon *chevalier*.

Puis, très calmement :

— C'est à lui que j'ai donné ma parole, je la tiendrai. Vous aurez vos vingt-cinq mille dollars...

— Oubliez cette saleté d'argent !

— Mon banquier viendra vous voir. Maintenant, *adieu*.

XIII

IL s'appelait M. Dumont, de la Louisiana Bank ; il se présenta le lendemain matin, mais je refusai de le laisser entrer, lui disant à travers la porte de revenir une autre fois. Tout cela parce que ma figure ressemblait à un arc-en-ciel, et avait doublé de volume depuis la veille. Je ne pouvais laisser personne me voir en cet état, pas même les domestiques qui me montaient à manger ; ils déposaient sur le seuil un plateau que je venais prendre après leur départ. Raison de plus pour éloigner M. Dumont, que je n'avais d'ailleurs guère envie de voir. Une fois la nuit tombée, j'étais descendu sans me faire remarquer, avais quitté l'hôtel par la porte de service, et je m'étais rendu en rasant les murs jusqu'à la maison de Royal Street où habitait Landry. Là, j'avais interminablement fait les cent pas, dans l'espoir d'apercevoir Mignon, l'espionnant pour savoir ce qu'elle faisait, me mettant l'esprit à la torture. J'avais fini par savoir. Un soir, alors que je me tenais dans un coin sombre, un fiacre s'arrêta, duquel Burke descendit. Il tendit la main à Mignon, disant au cocher d'attendre. Elle riait joyeusement, et ils pénétrèrent dans l'immeuble. Je ne sais ni s'il resta longtemps, ni s'il était seul avec elle. Je retournai à mon hôtel comme un chien battu. Mais la nuit suivante, j'étais de nouveau à mon poste, et il n'y avait rien à voir.

Quatre ou cinq jours plus tard, disons une semaine après Mardi gras, Marie vint frapper à ma porte, insistant pour me voir. Je la laissai entrer ; elle me dit qu'Emile voulait me présenter ses excuses :

— Il regrette son attitude, il voudrait que vous soyez bons amis.

Je me montrai magnanime et elle lui transmit mon pardon à travers la porte, en français.

— *Bon,* dit-elle, il est parti tranquillisé.

Tournant mon visage vers la lumière, elle poussa quelques petits sifflements. Quand elle se fut assise, je lui demandai :

— Eh bien, Marie, pourquoi teniez-vous tant à me voir ?

— Vous pourriez dire que vous êtes content de ma visite !

— Je pourrais... si j'étais vraiment sûr de l'être.

— Allons ! Allons !

Sa présence ne me faisait aucun plaisir. Mes expéditions des nuits précédentes m'avaient prouvé qu'il n'était pas aussi facile que je l'avais cru d'extirper un amour de son cœur, et que toutes mes grandes décisions de rupture radicale n'avaient été qu'un feu de paille. Néanmoins, je devais bien me faire une raison, et n'en avais aucune de me montrer méchant avec Marie, aussi je lui caressai la main sans déplaisir. Elle était plus séduisante que jamais dans une petite robe bleue complétée d'un canotier rouge, de chaussures, de gants et d'un châle assortis, l'ensemble manifestement composé pour me plaire.

— Je suis content, Marie.

— Guillaume, j'ai passé des nuits abominables.

— Moi aussi, et pour une bonne raison : je n'osais pas me montrer en plein jour.

Elle se planta devant un miroir mural, toucha délicatement son menton, où s'étendait un hématome violacé, là où mon poing l'avait atteinte, et qu'elle avait tenté de dissimuler sous une épaisseur de poudre.

— Le visage n'est rien. La nuit, on réfléchit, on rentre en soi-même...

— Je n'ai jamais voulu vous faire mal...

— Donc, vous ne l'avez pas revue.

— Oh ! Vous m'avez fait surveiller ?

— C'est facile, Guillaume, dans mon métier... J'envoie Emile aux renseignements, il fait parler les domestiques, il offre un verre, il apprend tout ce que j'ai besoin de savoir... Elle voit Burke... beaucoup... presque tous les soirs.

— Nous vivons dans un pays libre, Marie.

— Peut-être que vous n'avez pas menti, après tout.

— Nous n'allons pas tout recommencer ! J'ai menti.

— Vous avez menti, bien, *et alors* ?

— C'était pour ne pas vous faire de peine... et s'il vous reste un tout petit peu de sympathie pour moi, alors...

J'en étais arrivé, une fois de plus, à la conclusion inéluctable qu'elle seule pouvait m'éloigner de mes démons. Je soulevai son visage pour l'embrasser, mais elle me repoussa violemment ; je retournai m'asseoir sur le sofa.

— Désolé, Marie, j'oubliais mon aspect peu ragoûtant.

Otant successivement chapeau, châle et gants, elle les lança sur la table et vint s'agenouiller auprès de moi, saisit mon visage entre ses mains et le couvrit de petits baisers rapides.

— Même ça ne peut pas me couper l'appétit. J'aime ce visage-là.

— Multicolore ? Avec le rouge, le noir, le bleu, le marron ?

— Et même le vert !

Elle me planta un baiser sous l'œil.

— Du calme ! Moi aussi, je veux vous embrasser.

Me tenant à distance, elle haleta :

— *Non, non, non !* Vos baisers devront attendre, *petit.* Trop de choses en dépendent...

— Quoi donc ?

— Ma tête et mon cœur, entre autres. Quand on prend un associé, on doit savoir ce qui prendra le plus d'importance... *Les affaires...* ou le reste !

— Les affaires de cœur ?

— *Petit,* il faut éviter ça ! Ne pas mélanger !

— Il m'avait pourtant semblé...

— Après toutes ces sales nuits que j'ai passées...

— Vous voulez que nous fassions le point ?

— C'est le but de ma visite, *petit.*

— Très bien, mais comment ?

— Vous êtes invité au bal ?

— Au bal ? Quel bal ?

— Celui que donne le Général la semaine prochaine.

— Oh ! Pour l'anniversaire de Washington ? Pour célébrer l'élection qui aura lieu ce jour-là ? Oui, j'ai reçu une espèce d'invitation, probablement de la part d'un ami qui, depuis, m'a tourné le dos. Elle traîne quelque part, pourquoi ?

— Vous me demandez pourquoi ?

— Vous voudriez y aller ? Si ce n'est que cela...

— Si vous avez honte d'y emmener une *demi-mondaine...*

Le visage fermé, elle se leva et commença d'enfiler ses gants.

— Voulez-vous cesser de dire des sottises ?

Je la saisis solidement par le bras, l'obligeant à se rasseoir sur le sofa, reprenant :

— Comment pouvez-vous parler de la sorte ?

— *Pourtant,* vous avez hésité !

— Bien sûr que oui, d'abord parce que je suis un danseur exécrable, ensuite parce que je ne saisis pas le rapport, c'est tout !

— Ce n'est pas parce que quelqu'un risque de me refuser l'entrée ?

— Comment ça, vous refuser l'entrée ?

— Me jeter à la porte.

— Si quelqu'un s'y risquait, ce serait sa mort !

Imprévisiblement, elle me serra contre elle, écrasa sa bouche contre la mienne, murmurant :

— Vous venez de gagner un baiser... Et moi aussi !

— C'est cela que vous cherchiez à savoir ? Si je peux me battre ? Un duel ne me fait pas peur !

— Non, *petit*, je vous le défends, on vous pendrait ! Mais je suis heureuse de penser que vous seriez prêt à tuer pour moi.

— Parfait, mais si nous en venions au fait ?

— Elle sera au bal, *petit.*

— Qui donc ?

— Mignon. Avec Burke.

— Je vois, je vois.

— Déjà refroidi, *petit* ?

— Mais non. Je commence à comprendre votre but, c'est tout.

— Vous avez le droit de vous rétracter.

— Il n'en est pas question. Il faut que nous y allions ensemble.

— Cette confrontation va m'aider à y voir clair.

— A la vérité, moi aussi.

Nous y allâmes donc. Le bal se déroulait à l'Opéra, un grand théâtre du Carré Français ; toute la ville était là, non seulement les officiers de l'Union et leurs femmes, mais la bonne société de la Nouvelle-Orléans, surtout les notabilités fricotant avec les nordistes, bien plus nombreuses qu'on aurait pu le penser. J'étais sur mon trente et un, Marie m'ayant loué une tenue de soirée chez Poydras, le concurrent direct de Lavadeau : habit à queue de pie, chemise à plastron tuyauté, cape et chapeau de soie. Quant à elle, sa tenue ne risquait pas de lui faire refuser l'entrée. Elle semblait une vraie princesse d'El Dorado sous son manteau d'hermine blanche, dans une robe de satin écarlate décolletée presque jusqu'au nombril, avec des chaussures dorées, un sac doré et une résille d'or dans les cheveux. En outre, elle ruisselait de diamants, en collier, en bracelets et en bagues. Elle étincelait comme un igloo sous le soleil de minuit ; bien que je fusse fier d'elle, elle me donnait envie de rire. Surprenant mon regard, au lieu de se mettre en colère elle se mit à rire aussi, dans le fiacre qui nous avait chargés devant la maison de jeu :

— *Alors ?* Ne suis-je pas une *grande dame* en ce moment ?

— Si grande que j'ai l'impression d'être un pygmée !

— J'espère vous faire honneur.

J'étais cependant inquiet, non à l'idée qu'on puisse la jeter dehors, mais je me demandais qui j'allais rencontrer là-bas et ce qu'il allait en résulter... Dès l'entrée, j'inventoriai rapidement les lieux, les drapeaux, les oriflammes, les plantes vertes, l'orchestre sur son estrade, mais nulle part je ne vis trace de Mignon. Nous prîmes notre tour dans la file des invités, et je passai un mauvais moment à mesure que nous nous rapprochions de Dan Dorsey, qui faisait office d'appariteur et présentait les arrivants. Il était en uniforme de parade, épaulettes, galons, brandebourgs, sabre, fourragère, gants blancs et quand il aperçut Marie, son visage devint crayeux. Mais sans hésiter il lança haut et clair :

— M. William Cresap, Miss Marie Tremaine !

L'épouse du général n'avait, j'imagine, jamais entendu parler de Marie, aussi lui sourit-elle gracieusement en lui tendant la main. Marie, après une drôle de petite révérence, la prit. Je la pris à mon tour. Nous serrâmes la main du général, et le barrage fut franchi sans encombre.

— *Voilà !* J'y suis ! s'exclama Marie, ravie comme une fillette.

— Tout l'honneur est pour eux, affirmai-je.

Nous avançâmes dans la salle : l'orchestre attaqua un air entraînant et nous nous joignîmes à la farandole. Puis vint un long entracte durant lequel se remplirent les carnets de bal. Toutes sortes de jeunes gens voulurent danser avec Marie, qui leur dit chaque fois :

— Seulement les contredanses et les quadrilles ; je n'aime ni les galops ni les polkas.

Cela me toucha ; sachant que je ne pouvais tout danser, elle faisait semblant de préférer mes danses. Je rayai donc bon nombre de lignes sur son carnet, acceptant toutefois plusieurs couples comme partenaires de quadrille. Au milieu de cette opération, je vis son visage joyeux et animé redevenir brusquement celui, froid et calculateur, d'une joueuse, à quoi je compris que Mignon venait de faire son entrée dans la salle de bal. Je me retournai au moment où elle franchissait la ligne d'accueil, entre son père et Burke, dont elle tenait le bras. Elle arborait une robe noire, vestige de sa splendeur passée ou prêtée par Lavadeau. Une mantille ornée d'un motif de paillettes couvrait ses épaules et son buste, et j'éprouvai un profond soulagement à l'idée que nul ne pourrait voir ses rondeurs voluptueuses. Quand le trio eut été introduit, M. Landry s'en détacha et alla s'installer dans une loge toute proche de la scène, où Mignon et Burke allèrent lui tenir compagnie, mais en demeurant sur le parquet, prêts à danser. Marie chuchota :

— *Eh bien,* c'est à nous d'aller lui parler.

Elle me serra le bras d'une manière impérative ; je me cuirassai ; il fallait bien que je l'accompagne. Marie sembla glisser sur le parquet ciré, jusqu'à Mignon, s'exclamant :

— Mignon, quelle surprise ! *Bonjour, bonjour !*

— Marie, dit Mignon, *comment ça va* ?

Son ton était glacial ; elle regardait sans indulgence les épaules nues de Marie. Puis Burke fit semblant de découvrir notre existence :

— Tiens, tiens, voilà mes petits cambrioleurs ! La fille qui a attiré mon gippo dans son lit, rusée coquine ! Et son voyou !

— Burke, sifflai-je, retirez ça !

Ses yeux perpétuellement humides virent ma main se crisper sur ma canne, et il s'empressa de dire :

— J'ai peut-être parlé un peu vite...

— Excusez-vous.

— Les mots ont dépassé ma pensée, je regrette.

— Parfait. Désormais, ne parlez que quand on s'adressera à vous.

Marie me pressa le bras impulsivement, pour me remercier, et reprit :

— Mignon, j'ai à vous parler, au sujet d'une *affaire*... Mais tout d'abord, que je vous présente mon fiancé, monsieur Guillaume Cresap.

Mignon se cabra, comme si on l'avait giflée, et entreprit de lui répondre en français, puis se souvenant que je ne comprenais guère cette langue, reprit :

— Mes sincères félicitations. J'ignorais que vous étiez fiancés.

— Je l'ignorais moi-même, fis-je stupidement.

Là-dessus, si Mignon avait éclaté de rire et m'avait dit : « Willie, venez avec moi », mes affres auraient pris fin. Et si Marie m'avait frappé et s'était enfuie, elles auraient pris fin aussi. Mais aucune ne réagit de la sorte ; elles demeurèrent face à face, Mignon changée en statue, Marie en une flamme dévorante. Ce fut Marie qui me parla :

— *Comment ?* Me serais-je trompée ? Si c'est le cas, excusez-moi.

— Ce n'est pas ce que je voulais dire.

— Alors, que vouliez-vous dire au juste ? *Jouez,* s'il vous plaît.

— Les jeux sont faits, et vous gagnez, Marie.

— J'en suis heureuse.

Il y eut un silence assez remarquable. Personne n'avait rien à dire. Puis Mignon se lança :

— A mon tour de vous présenter **mon** fiancé, M. Frank Burke.

— *Enchantée.*

Burke s'inclina. J'essayai de dire quelque chose, mais rien ne sortit. Mignon reprit :

— Marie, de quoi voulez-vous me parler ? Quelle affaire pourrions-nous avoir à discuter ?

— *Eh bien*, vous allez voir.

Fouillant dans son petit sac doré, elle en tira plusieurs feuilles de papier qui avaient été pliées, puis roulées ensemble. Elle les déploya, les repassa du plat de la main et les tendit à Mignon.

— Voilà. Ce sont des reconnaissances de dettes signées par Raoul Fournet.

— Signées par...

— Raoul, votre mari, qui est mort.

— Faites-moi voir ces papiers !

— Certainement. Je vous ai restitué l'argent que Raoul avait perdu chez moi, mais j'avais oublié ces *billets*. Il y en a deux de quatre cents, un de deux cents, un de six cents. Quatre en tout, pour un montant total de seize cents dollars. Vous en ignoriez l'existence ?

— Je n'en avais jamais entendu parler.

— Je suis désolée de vous ennuyer avec ça...

— Tout ce que je peux vous dire, Marie, c'est de faire valoir légalement vos droits. La succession n'est pas encore réglée, et il y a quantité de dettes en plus de celle-ci...

— Mais une dette de jeu ne peut pas se réclamer en justice !

— Dans ce cas, qu'attendez-vous de moi ?

— Rien du tout, je pensais simplement que vous aimeriez récupérer ces reconnaissances.

— En échange de quoi, Marie ?

— *Eh bien...* vous allez danser le quadrille avec moi !

— Quel quadrille ?

— Ici, maintenant, tout de suite.

— On ne peut pas danser le quadrille à deux.

— Mais nous sommes quatre : vous, moi, votre fiancé et le mien !

Après une longue hésitation, Mignon finit par dire :

— J'accepte.

Marie déchira les papiers et les lui tendit. Cinq minutes plus tard, nous dansions tous le quadrille des Lanciers, Mignon semblable à une fée tant elle se mouvait avec grâce, Marie, elle, évoquait plutôt, par ses gestes mécaniques, une poupée tournant sur une boîte à musique. Mais nous savions tous laquelle des deux venait d'humilier l'autre.

Pendant le souper qui suivit le bal, M. Dumont vint nous rejoindre, une petit homme tout gris qui évoquait une souris. Je ne le connaissais jusqu'ici que pour lui avoir parlé à travers une porte. Il dressa un état des hypothèques que Marie devrait prendre pour obtenir vingt-cinq mille dollars. Ce problème nécessita d'interminables discussions, la plupart en français, auxquelles vinrent se mêler plusieurs de ses collègues, et dans lesquelles Marie tint énergiquement sa partie, ce qui me valut cette appréciation de M. Dumont :

— Vous ne pouviez trouver de meilleure associée, M. Cresap. Cette femme peut voir un dollar de très loin et le ramasser plus vite que n'importe qui. Vous avez de la chance, monsieur.

Quand la musique reprit, elle voulut rentrer ; dans le fiacre elle me dit :

— M'sieur Dumont vous a accepté, Guillaume, il pense que vous êtes un *honnête homme* et un ingénieur de talent.

— Il m'a dit également du bien de vous.

— Vous êtes content de votre soirée, *petit ?*

— Ravi. Vous voulez bien que je monte chez vous ?

— Sommes-nous vraiment *fiancés ?*

— Bien sûr. Qu'est-ce qui vous fait penser le contraire ?

— Le *mot* que vous lui avez dit.

— C'était pour plaisanter ! Vous m'aviez pris par surprise, et...

— Il ne faut pas plaisanter sur ce sujet-là.

— D'accord, je retire ce que j'ai dit. Vous me laissez monter ?

Elle hésita, se serra contre moi, m'embrassa, puis :

— J'avoue que je suis tentée... ah, oui ! Très tentée... Et pourtant, je n'arrive pas à vous croire, *petit*. Il me semble que vous l'aimez encore...

Je protestai, jurant que tout cela était ridicule, que tout était fini irrévocablement, et elle m'embrassa à nouveau. Mais après avoir encore réfléchi, elle dit :

— Non ! Guillaume, maintenant nous sommes associés dans une affaire, je vous promets que vous aurez votre argent. J'espère aussi que nous allons nous marier, et que vous ferez enfin de moi une *grande dame*. Alors, je serai toute à vous. je vous donnerai des enfants, de *jolis* bébés avec des cheveux blonds comme les nôtres... Mais il faut attendre, jusqu'à ce que je sois sûre de vous.

— Cette certitude, je peux vous la donner cette nuit...

— Plus tard, plus tard, *petit*.

XIV

AINSI j'avais tout entre les mains, le capital nécessaire, l'entreprise que je voulais, une femme que j'estimais profondément, et le temps passait. Dumont se donnait beaucoup de mal ; les hypothèques traînaient, il fallait faire des expertises, rassembler des titres de propriété, liquider les servitudes sur les propriétés que Marie mettait en jeu. Il y avait les cinq immeubles de Rempart Street qu'elle refusait de vendre mais sur lesquels elle voulait emprunter. Mais ce qui ralentissait le plus les choses, c'étaient les servitudes — d'anciens baux, des emplacements réservés, des droits de passage, toutes choses que la banque n'appréciait guère. Il s'agissait simplement de racheter ces droits, mais les gens se montraient âpres au gain, et les marchandages s'éternisaient. Entre-temps, elle et moi sortions beaucoup, allant au restaurant, à l'église, au théâtre, ce qui me permit de rencontrer plusieurs de ses amis. Ce qui l'enchanta le plus, je crois, fut la façon dont ils la traitèrent à l'enterrement de Mme Beauregard, qui se déroula sous la pluie. Ce fut une cérémonie impressionnante, pathétique aussi puisque Beauregard n'y assistait pas ; il ignorait le décès, se trouvant au loin sur quelque champ de bataille en Virginie. Nous étions en voiture, mais la plupart des gens étaient à pied, long et triste cortège de centaines de personnes cheminant tête basse sous la pluie battante. Dans le bas de Canal Street, nous rejoignîmes les autres, tandis qu'on embarquait la dépouille sur le vapeur qui l'emmènerait à sa dernière demeure. Beaucoup de gens vinrent saluer Marie, qui me chuchota :

— Vous voyez, j'ai beaucoup d'amis.

— Je n'en ai jamais douté.

— Tout comme une *grande dame* !

Le même jour, nous assistâmes à l'intronisation de Hahn, le nouveau gouverneur élu le jour anniversaire de Washington. Il n'avait pas lésiné, avec les six mille enfants chantant le chœur du *Trouvère*, tandis que cent enclumes résonnaient en mesure, accompagnées de cinquante coups de canon. Au milieu de ce tintamarre, elle me dit :

— Allons-nous-en, *petit*. Tout ça, c'est de la *sottise* !

De sorte que nous nous rendîmes à l'église Episcopalienne du Christ pour les ultimes préparatifs. Elle insista pour que ce fût le Docteur Bacon, le principal vicaire, qui nous marie, à l'exclusion de tout autre ; il était le seul à avoir été nommé à ce poste par l'Union, nul ne savait pourquoi. Après avoir discuté des dates, nous tombâmes d'accord sur le 29 mars, le mardi suivant Pâques. Elle parut ravie, et je la ramenai chez elle. Elle ne voulait toujours pas me laisser monter dans son appartement, mais m'emmena plusieurs fois dans le salon où, la porte fermée, elle se laissa un peu aller. Ce jour-là, un homme l'y attendait, un spécimen nommé Murdock, au menton bleu de barbe, à l'estomac proéminent, avec l'accent de la Nouvelle-Angleterre. J'appris avec stupéfaction qu'il venait se porter acquéreur de la maison de jeu. Elle fixa aussitôt un prix de cent mille dollars sans même battre des cils ; d'une voix quelque peu râpeuse, il fit une contre-proposition de soixante-quinze mille, à quoi elle rétorqua d'un ton définitif :

— *Allez, allez*, ne me faites pas perdre mon temps, sortez !

— On peut discuter, dit-il. Quatre-vingt mille ?

— Je vous prie de sortir immédiatement !

Quand il fut parti, grommelant on ne sait quoi, elle me dit en souriant :

— Je suis sûre qu'il reviendra. Vous êtes content, *petit*, que j'abandonne mon métier de *joueuse* ?

— Je vous aime comme vous êtes.

— Merci, mais ne me préféreriez-vous pas... vraiment *sérieuse* ?

— Puisque vous insistez, la réponse est oui.

— Je le serai, pour vous.

Tout allait donc de mieux en mieux ; le seul ennui était que je continuais à passer des heures dans des fiacres, à surveiller la boutique de Lavadeau, et que le soir, quand je rentrais à l'hôtel, je faisais un détour par Royal Street pour regarder les fenêtres de

Mignon. Je la vis de temps en temps — parfois le soir, rentrant chez elle au bras de Burke, le plus souvent dans la journée quand elle partait travailler. Chaque fois mon cœur battait à m'étouffer, surtout quand elle portait cette petite robe noire que j'aimais, un peu plus dépenaillée de jour en jour ; j'en aurais pleuré. Ces jours-là, je regagnais mon hôtel, tournais comme un lion en cage, frappais les murs à coups de poing et jurais à pleine gorge. Puis je me raisonnais, me disant de cesser de me torturer stupidement, de me comporter en être intelligent et raisonnable. Il me semblait avoir gagné, quand je reprenais mes esprits. Mais, le même soir, je me retrouvais dans les ténèbres de la rue, guettant comme un dément ce que je pourrais apercevoir d'elle...

Puis, une nuit, je ne vis plus rien : ses fenêtres demeuraient obscures. La nuit suivante et celle d'après, ce fut pareil, et dans la journée, je ne la vis pas aller chez Lavadeau. Avec tout cela, nous arrivions à la mi-mars, et tout trafic avait cessé sur le fleuve, tous les bateaux ayant été réquisitionnés pour transporter les troupes destinées au plan d'invasion. C'était le principal sujet de conversation dans les bars de la ville, et en fait l'invasion avait déjà commencé ; si l'on en croyait la rumeur publique, les premières unités du Teche Bayou étaient déjà en mouvement. Les fenêtres obscures pouvaient alors signifier qu'elle était partie avec Burke et son père pour Alexandrie, récupérer le coton saisi ; c'était un coup pour moi, mais aussi un soulagement. L'abcès allait enfin percer, grâce à cette absence qui me permettrait de la chasser de mon esprit et de m'occuper de ma propre vie. Et c'est bien ainsi que les choses auraient tourné si un jour je n'étais tombé sur Lavadeau. Jusqu'ici, nous nous étions salués de loin, et je n'avais aucune raison de penser qu'il pût s'intéresser à moi. Mais ce matin-là, dans Gravier Street, alors que je me promenais, je le vis, un carton sous le bras, et il s'arrêta à ma hauteur.

— M. Cresap, dit-il sans préambule, je ne sais pas si je dois vous parler... Comment pouvez-vous la laisser faire cela ?

— Que voulez-vous dire ?

— Mignon... la laisser partir pour Alexandrie avec Burke !

— Ainsi, elle est partie avec lui ?

— Oh, le papa y est aussi, tout comme ce gorille de Pierre. Ils sont tous partis jeudi matin par le ferry pour Alger, Louisiane, avec deux tombereaux vides. Ils rejoindront Breshear par la route, monteront sur le vapeur pour Franklin et finiront le trajet en voiture. C'est Burke le chef de l'expédition, et elle fera le voyage dans son chariot ! M. Cresap, pourquoi l'avez-vous laissé partir ?

— Qui vous dit que j'aurais pu le faire ?

— Je le sais ! C'est elle qui me l'a dit !

M'empoignant par les revers, il vida son sac ; elle était venue à la boutique la semaine passée, pleurante, gémissante, se donnant en spectacle, lui disant qu'elle haïssait Burke et ne voulait pas partir avec lui. Elle le faisait pour son père, afin qu'il ne perde pas le coton qui lui restait, mais elle n'attendait qu'un mot de moi pour abandonner son devoir.

— Elle vous a vraiment dit cela, M. Lavadeau ?

— Je vous le jure, M. Cresap.

— Vous a-t-elle dit aussi comment elle m'avait craché dessus ?

— Oh, cela ! Elle sait qu'elle a eu tort ; maintenant, elle sait pourquoi vous avez fait ce que vous avez fait ; elle reconnaît s'être trompée, elle regrette, et elle ne demande qu'à renouer avec vous, si seulement vous le lui demandez. Si seulement elle était sûre que cette autre femme n'est rien pour vous ! Si...

— Pourquoi n'est-elle pas venue me dire tout cela elle-même ?

— Elle l'a fait, monsieur.

— Je sais bien que non.

Il sourit, et me révéla qu'il l'avait amenée chez moi ce même après-midi, jusqu'à mon appartement du Saint-Charles.

— Sur le point de frapper à votre porte, elle n'a pas pu.

— Et pourquoi ?

— De crainte qu'il n'y ait quelqu'un avec vous.

Maintenant qu'il avait lâché sa vapeur, il se montrait moins agressif. Il murmura quelques mots en français, puis me dit avec un certain sourire un peu triste :

— De toute façon, maintenant il est trop tard.

Prenant congé, il descendit Gravier Street en direction de sa boutique. Je me dirigeai vers Carondelet, mais ma promenade était achevée. Tournant le coin, je me hâtai vers le bâtiment de l'état-major.

— Dan, puis-je entrer ?

— D'accord, si tu n'abuses pas de mon accueil.

— Quel accueil ?

Je me plantai devant sa table, ôtai mon chapeau que je gardai à la main et me demandai par où commencer. Il éclata :

— Bon Dieu, cesse de me saluer et de te râcler la gorge !

— J'essayais simplement de te montrer mon respect.

— Je déteste les courbettes. Assieds-toi !

Bondissant sur ses pieds, il attrapa une chaise et me planta dessus, comme s'il maniait le piston d'une pompe. Je le remerciai, lui demandai :

— Dan, comment vas-tu ?

— Très mal.

— Tu ne me demandes pas comment je vais ?

— Je le sais. Tout va bien pour toi.

— Eh bien, ça fait une moyenne.

— Qu'est-ce que tu veux, Bill ?

— Dan, est-ce que le bateau de l'état-major est parti ?

— Parti pour où ?

— L'invasion. Tu m'as dit qu'il y en aurait un.

— Il n'est pas encore affrété.

— Oh ! J'avais entendu dire que la manœuvre avait commencé, et...

— Elle a commencé, mais pas nous. Pas cet état-major. Nous, nous avons élu un gouverneur. Et fait une fête pour son intronisation. Et un bal. Des tas de bals. Toutes sortes de choses, toutes plus importantes que partir en campagne. Pourquoi ?

— Je veux être pris à bord.

— En quelle qualité ?

— Comme... négociant en coton.

— Toi ? Tu vas te mettre à acheter du coton ?

— C'est mon idée, Dan. Tu ne sais pas encore ce qui m'a vraiment amené dans cette ville...

Je lui expliquai rapidement le plan que j'avais amorcé avec Sandy, et mon besoin impératif de vingt-cinq mille dollars. Je continuai :

— Tout bien pesé, le moyen le plus rapide de me procurer de l'argent est encore de me joindre à l'expédition de la Red River. C'est aussi facile que de le cueillir sur des arbres... A condition de pouvoir être du voyage !

— Et à condition de ne pas me mentir.

— Mais... Quel mensonge t'ai-je raconté ?

— Que tu voulais faire ce voyage pour trouver de l'argent.

— Tu vois une autre raison ?

— Cette fille. Elle est partie pour la Red River la semaine dernière.

— Mais je t'assure que j'ai besoin de vingt-cinq mille dollars...

— Je sais, Bill. Je sais tout de cette histoire.

— Alors, où est le mensonge ?

— Bill, tu as déjà entendu parler d'un certain Dumont ?

— Le banquier ? Oui, je le connais.

— Il est venu ici même demander des renseignements sur toi ! Il m'a dit que Miss Tremaine, la jeune dame qui t'accompagnait au bal, allait t'épouser, puis liquider tous ses biens pour t'aider à monter ta propre affaire. Il m'a demandé si l'on pouvait te faire confiance... Mais si tu as déjà les vingt-cinq mille dollars, ça prouve bien que tu mens, n'est-ce pas ?

— Quels renseignements lui as-tu donnés sur moi ?

— Les meilleurs. Il est parti enchanté.

— Il se pourrait que je veuille gagner cet argent par mes propres moyens.

— Il se pourrait aussi que tu veuilles avoir Mme Fournet !

Mais je m'accrochai désespérément à mon histoire, et il finit par me demander comment je comptais faire fortune sans rien connaître du coton.

— Qu'y a-t-il à connaître, Dan ? Je monte sur votre bateau en qualité de marchand, je descends à Alexandrie avec les autres négociants, j'achète le stock d'un Rebelle avec l'argent qui me reste, j'établis mon inventaire, une liste des balles portant ma marque, le nombre et le poids, je vais le présenter à l'Intendant Général chargé des saisies pour qu'il le signe. Pour le reste, les hommes de loi s'en occuperont. Ces choses-là ne sont pas difficiles à comprendre !

— Bill, je t'ai dit que ce coton porte malheur.

— Comme les sorcières d'Halloween ?

— Je ne te parle pas d'Halloween, ni d'aucune superstition. Si tu préfères, disons que ce coton est hors-la-loi. De toute façon, il ruinera tous ceux qui y toucheront, y compris toi, y compris Burke, y compris Landry, y compris Mme Fournet — une bien jolie fille mêlée à un bien vilain trafic ! Bill, nous essayons — l'Union essaye, l'Armée essaye — **d'acheter** un morceau de cette guerre pour subventionner notre invasion ! Nous emmenons des trafiquants là-bas, nous allons les laisser acheter avec leur argent le coton que les Rebelles ont en stock. Mais ça ne tient pas debout ! Il y a un morceau de terre qui n'a jamais été à vendre, c'est le petit lopin dont on a besoin pour planter son drapeau ! Celui-là, il faut le **prendre de force** ! C'est le pucelage d'un peuple, il ne se donne jamais, et son prix, c'est du sang ! Nous voulons tous faire semblant de l'oublier, mais il nous faudra toujours payer **ce prix**-là, ou je me trompe gravement. Oh, nos motivations sont bonnes ! Il n'y a aucune meilleure motivation que la guerre ! Washington pense qu'on peut faire d'une pierre trois coups : empêcher le gouvernement Rebelle de négocier son coton ailleurs, et de s'acheter des armes avec, donner un petit morceau de sucre à quelques Rebelles de façon à les gagner à notre cause, et envoyer enfin à nos filatures du nord de la matière première pour fabriquer des uniformes à nos soldats. Admettons. Mais la seule fois où j'ai voulu abattre trois oiseaux sur la même branche, j'ai fracassé la fenêtre de la salle à manger, ouvert le crâne de mon grand-père, et mon caillou est tombé dans la soupe de ma mère ! Mais ici, c'est bien pire. C'est de la trahison. Tu veux savoir pourquoi ? Pour faire une affaire, il faut être deux, et en temps de guerre cela signifie pactiser avec l'ennemi. Si l'armée Rebelle laisse le coton où il est, si elle ne le brûle pas avant d'évacuer Alexandrie, c'est qu'elle est déjà au courant du projet par ses espions. Quant à nous, si nous faisons de l'œil aux cotonniers Rebelles au moment où nous procéderons à la confiscation, nous composons aussi avec l'ennemi. Pas beaucoup, bien sûr, juste un tout petit peu... Mais rappelle-toi le pucelage, on ne peut pas simplement le prendre un tout petit peu... Et je sais que nous courons au-devant de terribles ennuis ! Comprends-tu maintenant pourquoi ce coton est maudit ? Dois-je en dire davantage ?

— Je te croyais mon ami, Dan.

— C'est en ami que je te parle.

— Tu n'en donnes guère l'impression.

— Je vais te le prouver. J'ai des ordres pour te laisser venir.

— Me laisser venir ? Sur le bateau ?

— Exactement.

— Je n'y comprends plus rien !

— Bill, tu sais ce qui a le plus impressionné M. Dumont ? Pas ta vie passée à Annapolis, dont je ne lui ai pas dit grand-chose, mais ce que tu as fait ici même. C'est ça qui l'a enthousiasmé.

— C'est de l'affaire Landry que tu parles ?

— Tout juste. Ça nous a impressionnés aussi.

— Qui « nous » ?

— Tous les membres de cet état-major. Ils étaient fous de rage, bien sûr, mais ils ont de l'estime pour toi. Ils pensent que tu pourrais nous être utile, alors ils m'ont passé le mot de t'emmener si tu le voulais.

— C'est une espèce de récompense ?

— Je n'ai pas prononcé ce mot.

— Alors pourquoi ?

— C'est le meilleur moyen de te faire fermer ta gueule.

Je finis par comprendre où il voulait en venir. Il y eut un instant de silence. Puis il dit :

— Bill, je me suis montré dur avec toi, et de ton côté tu m'as blessé. Mais jusqu'ici, j'étais certain de ta loyauté. Maintenant, si tu veux faire un coup sur le coton, je suis obligé de t'emmener, mais je n'aurai plus la même opinion de toi. Bill, je t'en prie, ne me fais pas changer !

Après un long moment, je dis :

— Je veux partir.

— Soit.

J'emmenai Marie partout, au restaurant, à l'église le dimanche suivant, en promenade dans le parc qui sentait déjà le printemps. Je l'aidai à envoyer les faire-part de mariage dès qu'ils arrivèrent de l'imprimerie. Quand mon laissez-passer pour le bateau parvint à mon hôtel, je me dis que cela ne voulait rien dire, que je n'avais aucune intention de l'utiliser, que je m'étais seulement livré à un baroud d'honneur. Mais le lundi soir, nous allâmes voir **Richard III** au théâtre Saint-Charles, interprété par John Wilkes Booth (1). Il est originaire du Maryland, lui aussi ; il doit aimer les animaux et faire l'aumône aux aveugles. Mais dans cette pièce, il porte la mort dans ses yeux, et tout en le regardant, fasciné, je sus que je voulais vraiment partir, et aussi ce que je voulais vraiment faire. J'avais la mort au cœur, voilà la vérité. La mort de qui, je l'ignorais encore, mais le lendemain, 22 mars 1864, pour la deuxième fois, je fuis une femme qui m'aimait.

---

(1) Ce même acteur devait assassiner le président Lincoln au **Ford's Theater** de Washington, le 14 avril 1865. (N. du T.)

XV

ALEXANDRIE ressemblait tout à fait à ses photographies, sauf en ce qui concernait la pluie fine, la flotte des vapeurs d'invasion ancrés dans le port, et aussi la malédiction à laquelle je commençais à croire, suite à ce qui était arrivé pendant le voyage. Nous avions levé l'ancre en bas de Canal Street, à midi, deux jours auparavant, sur un bateau à aubes qui s'appelait le *Faucon Noir*. Il transportait, sur le pont inférieur, un général, son état-major, les sous-officiers et les ordonnances de tout ce beau monde ; sur le pont supérieur, les chevaux, les volontaires de la Louisiane, les journalistes et les commerçants ; domestiques, palefreniers et pique-assiettes se casaient où ils pouvaient. Nous étions serrés comme des harengs, mais je me débrouillai très bien, ayant apporté tout ce dont j'avais besoin pour un tel voyage. Après avoir embrassé Marie — le baiser de Judas me fut amer — j'avais passé une partie de la nuit à emballer mes affaires, réparties en deux sacs. J'en laissai un à l'hôtel, remplis l'autre d'effets de campagne, de provisions de bouche préparées par l'hôtel. J'y ajoutai mon revolver. Je portais mon pantalon de velours côtelé ; avec les deux couvertures achetées pour l'occasion et un bidon à ma ceinture, j'étais paré.

Je m'installai, ou plutôt m'encastrai, avec les négociants, à l'arrière du bateau, dans le passage qui s'achevait par une manche à air. La foule était plutôt mélangée, les tireurs d'élite voisinant avec les politiciens et les commerçants, tous débordant de plaisanteries éventées ou de théories absurdes, selon lesquelles Washington entendait déclarer d'intérêt public le commerce illimité du coton. Certains avaient amené à bord des tas de bagages, de harnais et de cordes, empilés partout si bien qu'on ne pouvait plus poser un pied ; ils étaient si affamés de coton qu'ils étaient prêts à emballer celui resté en vrac dans les plantations, une fois que le stock existant aurait été totalement adjugé. Mais personne ne se plaignait, et nous nous laissions secouer tous en bloc, sans rien faire d'autre toute la journée que jeter des peaux de bananes dans le sillage, observer les promenades des gandins, ou aller rendre visite aux journalistes de l'autre côté de la salle des machines. Puis quand la nuit fut tombée et que l'équipage eut allumé des lampes un peu partout, Dan vint me demander comment cela se passait. Comme l'on avait fait circuler les bouteilles et que les rires gras montaient, il me fit signe de le suivre vers l'avant. Nous franchîmes la manche à air et gagnâmes l'étrave, où se trouvaient les chevaux, et où les palefreniers avaient tendu un prélart pour les protéger du vent. Nous nous accoudâmes au garde-fou, et après quelques paroles de pure forme, Dan se mit à contempler le rivage d'un air mélancolique. Quand je lui en demandai la raison, il répondit :

— A la fois tout et rien, Bill. Surtout cette sacrée invasion...

— Ça ne se déroule pas comme prévu ?

— En apparence oui. En ce moment, l'avant-garde doit être à Alexandrie. Mais il y a quelque chose de bizarre. Je n'en dors pas de la nuit.

— Qu'y a-t-il de si bizarre ?

— Comme tu le sais, il y a trois groupes, l'armée, la marine et le contingent. Sherman nous a prêté dix mille hommes, mais ces bons à rien ne nous attirent que des ennuis. En outre, il n'y a aucun commandement véritable.

— Pourtant, le général ? C'est lui le chef suprême.

— L'est-il ? Ne l'est-il pas ? Et s'il l'est, de quelle façon ?

— Dan, ce n'est pas moi qui vais te répondre !

— S'il est responsable, il est responsable de trop de choses. Aucun homme au monde ne peut surveiller une élection, danser la polka, introniser Hahn, barboter dans le coton et diriger une campagne, le tout à la fois ! C'est trop lui demander ! Et il aurait dû être là-bas, à Alexandrie, pour le rendez-vous qui était fixé au dix-sept mars, où les trois groupes devaient accorder leurs violons, mais comment pouvait-il être partout à la fois ?

— Quelque chose a mal tourné ?

— Pas que je sache.

— Il y a déjà eu des combats ?

— Très peu. Les engagés ont pris un fort.

— De quoi te plains-tu, alors ?

— Bill, cette bande de marchands ne me dit rien de bon.

— Ce sont eux qui te tracassent réellement, n'est-ce pas ?

— C'est le coton qui me fait peur.

— Cesse de te fier à des pressentiments ! Ces confiscations théoriques ne peuvent rien provoquer, du moment que Lincoln a donné son accord.

— Lincoln est loin !

— En somme, tu n'as rien de précis à redouter ?

— Non, j'ai la frousse et j'ignore pourquoi.

— C'est une drôle de façon d'avoir peur.

— C'est la pire.

Il devait s'en rendre compte bien assez tôt, avant même que nous n'ayons atteint Alexandrie. Nous fîmes halte le lendemain à Port Hudson, qui n'est qu'une sorte de digue escarpée avec quelques bâtisses, où le général devait passer quelques troupes en revue, des noirs qui s'étaient distingués pendant le siège de l'année dernière. Tout le monde descendit à terre, moi inclus, mais guère désireux d'escalader la falaise, je jetai un coup d'œil à la revue, puis remontai à bord où je me mis à bavarder avec un compagnon de voyage. Puis tout le monde revint : le général, son état-major, les engagés, les correspondants de guerre, et, bons derniers, les négociants. Mais leurs visages, jusque-là épanouis à l'idée du profit qu'ils espéraient faire, étaient maintenant sombres et renfrognés ; manifestement, quelque chose allait de travers ; j'entrepris de les suivre dans la partie du bateau qui leur était affectée afin d'en savoir davantage, mais j'en fus empêché par les matelots qui rentraient les amarres après le départ du bateau. Tandis que j'attendais, Dan descendit l'escalier menant au grand salon. Il me fit signe, et je le rejoignis au même endroit que la veille au soir. Il reprit la conversation comme si elle n'avait pas été interrompue :

— Eh bien, ça y est ! La malédiction a frappé.

— Comment ça ?

— La marine a pris le coton.

— Tu veux dire que les marins ont procédé à la confiscation ?

— Pas tout à fait. Ils ont procédé à une **capture.**

— Je ne vois pas la différence.

— La marine n'opère pas selon la Loi de confiscation mais sous la Loi de la prise de mer. C'est un butin si tu préfères, et pour un butin, tu ne donnes pas de reçu ! En sorte que personne ne peut réclamer ce coton en justice ! La prise des marins ne peut être mise en litige !

Je hochai la tête. Il reprit :

— C'est curieux, la façon dont ça s'est passé. Des gars me l'ont raconté, à Fort Hudson. La réunion, comme je te l'ai dit, était fixée au dix-sept, mais la marine est arrivée la première. Elle est arrivée le quinze, et la ville — pour faciliter les choses — a envoyé le maire en bateau pour annoncer sa reddition sans combat... Tu parles ! Ils n'ont même pas voulu attraper son amarre ! Ils l'ont chassé comme la petite vérole ! Ils ne voulaient pas entendre prononcer le mot de reddition, ça aurait ruiné leur plan ! Le lendemain à l'aube un détachement de l'*Eastport* — le bateau de ton ami Sandy — a marché sur les entrepôts et fracassé les portes à coups de crosses. Le propriétaire était là, leur agitant les clefs sous le nez, mais ils ont tenu à employer la force pour accréditer l'idée de la capture !

— Eh bien, on apprend à tout âge !

— La marine a plein de trucs à nous apprendre.

— Mais au moins, vous êtes en dehors du coup.

— L'armée, tu veux dire ? J'en suis moins sûr que toi.

— Puisque c'est la marine qui a le coton.

— Ecoute, Bill, nous avions conclu un accord selon lequel les Rebelles nous laissaient leur coton en évacuant la ville. Mais c'est la marine qui nous l'a pris sous le nez. Ce qui veut dire que tous ces marchands vont rester le bec dans l'eau, et je m'en fiche éperdument. Mais les Rebelles n'ont pas été payés et nous le leur avions promis, ce qui est bien plus grave !

— Où veux-tu en venir, Dan ?

— Qu'est-ce que j'en sais ? Mais je flaire les ennuis !

— Eh bien, au pis-aller, il faudra nous battre.

— Oui, Bill, mais en sommes-nous capables ?

Il me dépeignit quelle triste armée c'était, une bande d'aventuriers qui s'étaient engagés comme immigrants au Texas, les soldats de métier étant, eux, ramollis par un hiver d'inaction passé à coucher avec des filles de couleur et à se remplir de rhum. Il répéta :

— Et nous n'avons aucun commandement véritable.

Puis il me dit, bizarrement :

— Bill, tu ne me sembles guère soucieux.

— Pourquoi le serais-je ?

— Ces vingt-cinq mille dollars, ça ne te fait rien de les perdre ?

— Je les avais totalement oubliés.

— Alors, tu m'as menti.

— Et après ? Il fallait que je vienne à Alexandrie.

112

— Au moins, tu es toujours un honnête homme — et je l'ai toujours su, sinon je ne serais pas ici en ce moment. Et **elle** est une bougrement brave fille !

— C'est l'impression qu'elle donne...

— Que veux-tu dire, Bill ?

— Que c'est à moi de me faire une opinion.

— En d'autres termes, tu veux savoir si elle couche avec Burke.

Je chancelai comme s'il m'avait frappé, et je compris qu'il l'avait fait exprès. Il m'observait avec acuité, l'œil perçant.

— Bill, ne t'avise pas d'aller tuer cet Irlandais pour elle. Je t'en supplie, ne fais pas ça ! Ce type est une véritable maladie contagieuse. Personne n'ose lui adresser la parole, de crainte de se retrouver compromis dans une sale histoire. Mais une fois mort, quand on ne pourra plus rien prouver, il aura des milliers d'amis... et cette ville est sous loi martiale. Nous serons obligés de te juger pour meurtre, et de te pendre, sois-en convaincu.

— Je ne peux jouer qu'avec mes cartes.

— Alors, ne commets pas d'imprudence.

— **Mais imagine qu'elle couche avec Burke !**

— Et quand bien même ! Nom de Dieu, elle ne serait pas la première à... Il vaut mieux rire de ces choses-là ! C'est risible ! Tout ce qu'ils ont fait, elle, Landry et Burke, ils l'ont fait pour rien ! Et le rire coûte moins cher que la vengeance !

— Mais le rire est-il meilleur que la vengeance ?

— Il est meilleur que de pendre à une branche, crois-moi !

Quand j'eus cessé de discuter, il m'observa un moment puis me laissa, comprenant que ma résolution faiblissait ; à la vérité, dès que la révélation de ce qu'avait fait la marine s'était imprégnée en moi, j'avais commencé à reprendre espoir ; tandis qu'il parlait, je m'étais imaginé en train de rire, puis l'avait imaginée revenant à moi, maintenant que la combinaison avait échoué, et me demandant pardon ; je m'étais vu la prendre dans mes bras et lui dire que seul notre amour comptait. La journée s'écoula de la sorte. Nous hélâmes un bateau-vigie, puis, le dépassant, nous engageâmes dans l'embouchure d'Old River. Après six ou huit milles de lutte contre le courant, nous pénétrâmes dans la Red River. La nuit tomba, et dès l'aube il commença à pleuvoir. Après des milles et des milles de paysage désolé, dévasté par la guerre, nous vîmes le coton, des milliers de balles sur une barge que remorquait un vapeur de la marine. Il passa si près de nous que nous aurions pu le toucher ; les marchands éclatèrent en malédictions. Devant nous apparut Alexandrie, toute de brique, de verdure, de dentelle d'acier et de crachin. Puis nous nous balançâmes le long du quai d'amarrage, non loin du bateau-amiral, un énorme trois-ponts qui s'appelait le *Faucon noir*. Non, je ne me trompais pas. Le drapeau de la marine flottait sur le *Faucon noir*, et nous étions sur le *Faucon noir*. Deux bateaux portant le même nom, amarrés côte à côte, ne transportant que des ordures, telles deux poubelles géantes. C'était cela, notre invasion.

XVI

Oui, messieurs, c'est un bel hôtel, et, nous l'espérons, l'un des meilleurs. Toutefois, les apparences peuvent être trompeuses, et nous n'avons aucune chambre. Le rez-de-chaussée, comme vous pouvez le constater, comprend une salle de réception, un bar, un salon, une salle à manger et une boutique, mais rien où dormir. Le deuxième étage sert de théâtre, là non plus, rien où dormir. Le premier étage, il est vrai, comprend vingt-quatre chambres, mais malheureusement, quand vous nous avez imposé votre guerre, l'immeuble finissait juste d'être construit, et notre mobilier n'est jamais arrivé. Les chambres sont vastes et belles, mais à part quelques-unes, déjà louées, elles sont totalement vides : pas de lits, pas de couvertures, pas de lavabos, rien ! Ceci afin de vous démontrer que vous auriez dû réfléchir à deux fois avant d'entamer les hostilités. Néanmoins, nous sommes bien intentionnés, et nous ferons notre possible pour vous aider. Pour les repas, vous pourrez venir et nous vous nourrirons. Pour vous loger, nous disposons de maisons à louer, appartenant à des gens qui ont pris la fuite quand ils ont entendu parler de votre invasion — et je ne saurais les en blâmer. Ils m'ont confié leurs clefs, et si vous voulez bien me prêter attention, je vais vous citer leurs noms, vous décrire leurs maisons et leurs capacités d'hébergement. On paie comptant. Loyer exigible d'avance le premier de chaque mois, et ainsi de suite pour chaque mois ultérieur ! Je répète : loyer payable d'avance. Aucun remboursement ne sera effectué.

L'homme commença à ramasser des clefs et à lire les indications portées sur leurs étiquettes. Des voix s'élevèrent de la foule des commerçants, des journalistes et des intermédiaires qui emplissaient l'entrée de l'hôtel, hall immense garni de fauteuils de cuir et de canapés, ainsi que de tables ornées d'affichettes de plusieurs compagnies maritimes. Pour la plupart, ils se groupaient par deux, trois ou quatre pour partager habitations et loyers, mais tout à coup l'aboyeur ne trouva pas d'écho, offrant un logement sans trouver preneur :

— Appartement au-dessus d'un magasin dans Front Street, bel endroit, très propre, très chic, de la place pour quatre personnes !

Il répéta son boniment, et je tendis l'oreille en l'entendant mentionner le nom du propriétaire, Schmidt. Je criai :

— Moi !

Il me plaqua la clef dans la main.

— Ce sera cinquante dollars jusqu'au premier avril.

L'ayant payé, je me retrouvai clopinant, mon sac de couchage roulé sur l'épaule, mon bagage à la main, dans une ville que je connaissais comme ma poche, tant on m'en avait parlé certain soir chez les Landry. Et bien sûr, passé le carrefour, sa façade tournée vers la poupe du navire-amiral, j'arrivai au magasin sur les vitrines duquel on pouvait lire « A. Landry et Cie » et quelques pas plus loin à celui qui exposait des cuves, et dont l'enseigne proclamait « Friedrich Schmidt, matériel pour sucreries ». Les deux boutiques étaient séparées par un portillon vert donnant sur une allée étroite. Je montai par un escalier extérieur jusqu'à la galerie, utilisai ma clef et entrai. Je traversai un palier menant à un couloir communiquant lui-même sur un autre palier. C'était la partie commune entre les deux appartements, que séparait un mur percé d'une imposte, celle-là même dont Mignon m'avait parlé.

Au fond du couloir à droite se trouvait un salon donnant sur le quai. Ayant laissé tomber mon bagage, je levai les stores. L'endroit était parfaitement lugubre. Sur le sol, une vieille natte de coco répandait un remugle poussiéreux, semblable à l'odeur d'une salle de classe abandonnée. Les murs couverts de cannelures, peints d'une couleur caca d'oie, le mobilier de chêne ouvragé avec ses coussins moisis, les gravures sur cuivre représentant, à ce qu'il me sembla, des empereurs prussiens, n'incitaient guère à l'euphorie. La pièce était remplie de bibelots, chiens et chats de porcelaine, têtes de porcelaine grimaçantes, et pipes d'écume rangées dans des râteliers. Les têtes, grandeur nature, servaient de pots à tabac et comportaient de petites éponges encastrées dans leurs couvercles. Regagnant le couloir, dans la faible lueur de l'imposte, j'ouvris toutes les portes, découvrant les chambres, une salle de bains avec un tub accroché au mur mais aucune arrivée d'eau, une salle à manger, une cuisine et une office. Dans l'office se trouvaient des étagères avec une batterie de cuisine, une trappe dans le sol et un escabeau destiné à manœuvrer l'imposte. Dans la cuisine, outre le fourneau et le coffre à bois, se trouvaient une pompe et un évier. En ouvrant la fenêtre, je découvris le réservoir d'eau dont elle m'avait parlé, sur son trépied. Du toit descendait un tuyau dans lequel on entendait ruisseler l'eau, sur lequel était adaptée une valve munie d'une manette à poignée de bois. J'énumère tous ces détails pour ne pas me tromper quand je raconterai ce qui arriva cette nuit-là, mais je dois avouer que sur le coup, je les remarquai à peine. Mon esprit n'était occupé que d'elle, non de ce que je voyais. Laissant la fenêtre ouverte pour aérer, je posai mes affaires dans l'une des chambres et m'assis un moment, réfléchissant à ce que j'allais faire ensuite. Mais les battements de mon cœur me le dirent, sans qu'il soit besoin de penser plus avant. Après ce que Lavadeau m'avait dit et ce que la marine avait fait, j'avais toutes les bonnes raisons de me montrer amical, sans me laisser dominer par les sombres pensées qui m'avaient envahi après avoir vu jouer John Wilkes Booth. De sorte que, lorsque j'eus recouvré tout mon calme, je défroissai mon ciré, descendis dans l'allée, contournai le magasin voisin et montai l'autre escalier qui, du trottoir, menait à une galerie identique à la mienne. Je frappai à sa porte, et elle m'ouvrit, dans son éternelle petite robe noire, maintenant tout élimée. Elle ne manifesta pas la moindre surprise.

— Oh, dit-elle avec un sourire froid, j'ai entendu quelqu'un piétiner dans l'appartement mitoyen, et j'ai tout de suite pensé à vous. Vous êtes le seul boiteux que je connaisse.

— Oui, j'ai loué la maison des Schmidt.

Elle alla se pencher sur la balustrade et regarda dans la rue.

— Marie n'est pas venue avec vous ?

— Non, elle est restée à la Nouvelle-Orléans.

— Je me disais que, légèrement vêtue comme je l'ai toujours vue, elle devait mourir de froid sous la pluie et pourrait vouloir se mettre à l'abri...

— Je ne crois pas qu'elle l'aurait fait, mais merci quand même.

— On m'a dit qu'elle subventionnait votre affaire ?

— Il en a été question, effectivement.

— Elle est terriblement riche... ou même, comme l'on dit, **ignoblement** riche.

— Mais plus pauvre de seize cents dollars, depuis peu.

Cette allusion aux reconnaissances de dettes que Marie avait déchirées atteignit son but. Elle recula à l'abri de l'humidité, le visage empourpré, les yeux étincelants ; elle grinça :

— Pourquoi êtes-vous venu ? Que voulez-vous ?

Je sentais mes dispositions amicales s'évaporer rapidement.

— Rien du tout, sinon compatir... c'est triste, d'avoir vendu tout ce qui vous restait, et de ne rien toucher en échange...

— **Qu'est-ce que vous dites ?**

— Le coton, ce fameux coton pour lequel vous vous êtes donnés tant de mal, vous et votre père, pour vous le faire arracher au dernier moment. La marine ne donne jamais de reçus. Votre père est-il ici ? J'aimerais lui exprimer mes regrets. S'être transformé en proxénète, avoir vendu sa propre fille à l'ignoble individu qui l'avait envoyé en prison, et ne pas toucher le prix de ses efforts...

Mais au lieu de me claquer la porte au nez comme je m'y étais attendu, elle me regarda avec le même sourire glacé.

— Mon père est sorti, dit-elle très aimablement. Nous mangeons beaucoup de gibier en ce moment, et il est allé voir l'indien qui nous fournit. Mais il n'y a vraiment aucune raison de nous plaindre. Notre reçu est déjà signé !

Elle poursuivit, de sa petite voix calme et raisonnable :

— Bien entendu, je ne prétends pas qu'ils ont donné des reçus à n'importe quel crève-la-faim dans le genre du pauvre bancal qui utilise l'argent des femmes pour faire ses affaires, mais il a suffi qu'un homme véritable se montre, quelqu'un comme M. Burke, par exemple, pour qu'ils signent les papiers sans discussion. Vous voyez, nous n'avons nul besoin de sympathie, mais merci quand même !

— Eh bien, dans ce cas, toutes mes félicitations.

— Avez-vous autre chose à me dire ?

— Je ne vois rien dans l'immédiat.

— Alors, puisque nous allons repartir par le premier bateau dès que l'armée atteindra Shreveport, nous ferions aussi bien de nous dire adieu.

— Certainement. Adieu.

— Mon bon souvenir à Marie.

J'étais venu, j'avais vu mais n'avais pas vaincu, loin de là. Je ne fis rien, n'évoquai même pas John Wilkes Booth et le fait que, une fois que j'eus regagné mon sinistre salon, je me mis à trembler comme une feuille parce que je l'avais vue, l'avais entendue et, pire que tout, avait senti son odeur, n'arrangea rien. Puis, petit à petit, il m'apparut qu'il y avait quand même quelque chose de drôle dans tout cela... ce reçu. Parce que, même si Burke pouvait avoir entretenu de bonnes relations avec l'armée, je savais qu'il n'avait aucun poids dans la marine, et c'était la marine qui avait saisi le coton. Et d'une manière tellement légale, selon Dan, qu'il me semblait incroyable qu'elle se fût désistée aussi rapidement. Il était non moins incroyable, vu son sourire glacé, que si Burke ou son père avait concocté une quelconque avocasserie, elle ne se soit pas fait un plaisir de me la révéler en détail. Pourtant, de son air fanfaron, je tirais la certitude que le reçu avait bien été signé, de sorte que la question était : comment peut-il à la fois avoir été signé et ne pas l'avoir été ? Je ne possédais pas la réponse, mais quelqu'un pouvait me donner une information de première main et m'éclairer. C'était mon ami Sandy Gregg, dont le navire, l'*Eastport*, avait procédé à la capture du coton.

La pluie avait cessé entre-temps, et je repris la route, demandai mon chemin à un matelot, et dans la partie basse de la ville, dénichai un cuirassé ancré à quelques encâblures. Son pont supérieur et ses cabines avaient souffert, il était tout cabossé, balafré, bref assez piteux, mais quelqu'un à bord répondit à mon appel. Puis Sandy apparut à l'un des sabords, me regardant avec incrédulité. C'est un garçon brun, de taille moyenne, généralement élégant et soigné, mais pour l'instant, dans son vieil uniforme, il semblait aussi rouillé que son bateau. Il interpella les gens du canot amarré au quai d'où je l'avais hélé, et me fit amener à bord. Il m'accueillit cordialement et me présenta à trois ou quatre de ses amis, sans lâcher ma main, me demandant inlassablement :

— Bill, qu'est-ce que tu fais ici ? Mais enfin, qu'est-ce que tu fiches ici ?

Je n'étais pas loin de me poser la même question.

Je n'avais aucune envie de lui dire toute la vérité — en admettant que je la connaisse — aussi m'en tins-je à mon histoire habituelle, celle que j'avais racontée à Dan avant qu'il ne me jette dehors.

— Eh bien, dis-je avec humeur, tu devrais savoir mieux que personne ce que je suis venu faire ici. Nous avons besoin de vingt-cinq mille dollars, et j'ai pensé pouvoir les trouver ici plus vite qu'ailleurs.

J'enchaînai sans lui donner le temps de répliquer :

— Et je pense que je peux les avoir si les gens qui ont du coton à me vendre se montrent en temps utile. Mais quelque chose me chiffonne : si j'achète leurs titres de propriété, obtiendrai-je un reçu ?

— Tu es venu comme négociant ?

— Je suis arrivé sur le *Faucon noir*.

— Le coton que tu as en vue, il est stocké ?

— A l'entrepôt Rachal, m'a-t-on dit.

— Bill, nous avons pris ce coton la semaine dernière.

— Oh, je le savais. En arrivant, j'ai vu remonter la barge. Mais une saisie doit être ratifiée par une cour de justice, et pour l'instant, rien ne peut être définitif tant que le cas n'a pas été jugé à la Nouvelle-Orléans...

— A Springfield.

— Springfield ?

— En Illinois. Ce coton est en route pour Cairo.

— Oh, je l'ignorais.

— Bill, si tu achètes ces titres, tu sautes.

— De joie ?

— Tu sautes à l'eau, et nous nous noyons tous les deux.

— Mais enfin, des reçus ont bien été signés ?

— Non, Bill, aucun.

— S'il y en avait eu, tu le saurais ?

— C'est un détachement de ce navire qui a opéré la prise, j'en faisais partie, et si un seul reçu avait été signé, je le saurais !

Mais un des hommes qui nous écoutait dit quelques mots, et Sandy se reprit :

— C'est vrai, j'oubliais ! Il est possible qu'un de nos officiers, le lieutenant Powell, ait signé quelque chose, mais nous ne pouvons pas en être sûrs. Il allait à terre tous les soirs, à l'Ice House Hotel, pour enregistrer les plaintes des civils, et il s'est fait tuer par un rôdeur, une nuit qu'il revenait au bateau...

— Cresap devrait interroger Ball.

C'était le gars qui nous avait interrompus. Sandy murmura :

— C'est juste, Ball pourrait savoir. Il a récupéré les dossiers de Powell.

— Puis-je le voir ?

— Pour l'instant, il dort, mais il sera à l'hôtel ce soir.

— Bon. J'irai lui parler.

— Maintenant, Bill, revenons-y.

— Où ça ?

— A ces vingt-cinq mille dollars.

Je découvris, à mon vif ennui, qu'il avait gobé toute mon histoire. Il prenait ces vingt-cinq mille dollars très au sérieux et se tenait pour responsable du fait que nous en ayons besoin, mais encore plus que nous ne les possédions pas. De sorte qu'il me fallut, pendant une heure, éluder toutes ses questions concernant les « gens » qui devaient me contacter. Finalement, quand je dus lui avouer que je n'en avais pas la moindre idée, il eut l'air si déçu que je fus obligé de faire quelque chose. Dans le fond de ma poche, je saisis un billet au hasard, le déchirai tant bien que mal du bout des doigts, lui en exhibai une moitié et dis :

— Tout ce que je sais, c'est qu'on doit me remettre l'autre moitié de ce billet en signe de reconnaissance. Jusque-là, je ne sais pas qui ils sont et ne peux en avoir aucune idée. Et maintenant, après ce que tu m'as appris de cette histoire de saisie, j'ai bien l'impression qu'ils ne se montreront pas du tout !

Il se contenta de cette explication, et je regagnai mon appartement plus abattu qu'auparavant, si cela était possible. J'étais toujours aussi loin de la solution de l'énigme, mais venais de me rapprocher de l'asile pour indigents. J'avais cru, en déchirant mon billet, qu'il s'agissait de vingt dollars, mais c'était un billet de cinquante ! Je me dis que je pourrais toujours le recoller, mais tandis que je le défroissais et l'examinais, j'étais loin de me douter des conséquences qu'il aurait dans ce sinistre fiasco.

J'étais plus malin que je ne le croyais.

XVII

QUEL qu'ait été le résultat de mes recherches, il me
fallait quand même me nourrir, aussi vers six heures et demie me
rendis-je à l'hôtel. Le restaurant était bourré, et je n'obtins une
place qu'au troisième ou quatrième service. J'achetai mon ticket,
et assistai à l'entrée de Dan, qui réunit les journalistes autour de
lui pour leur donner les dernières nouvelles : l'armée avait avancé
et se trouvait maintenant à Natchitoches — Nackitosh, comme il
disait. La flotte avait eu quelques difficultés à cause des basses
eaux dans les chutes, les rapides en amont de la ville, mais la
plupart des bateaux étaient passés sans trop de retard. En
d'autres termes, tout se déroulait selon le plan prévu. Quand il en
eut terminé et vint s'asseoir auprès de moi, il n'avait plus rien à
dire et semblait d'humeur morose. Je lui demandai :

— Pourquoi as-tu l'air sombre, alors que la situation est si
brillante ?

— Brillante pour un aveugle, oui.

Il ajouta, l'air mystérieux :

— Tu veux voir quelque chose, Bill ? Retrouve-moi derrière
l'hôtel.

Je traversai le bureau, franchis une petite porte sous l'escalier et
parvins dans la chaufferie. Il me rejoignit quelques instants plus
tard, parmi les chaudières et les réservoirs, me désigna quelque
chose. Je regardai ; dans la nuit qui s'épaississait, le ciel
rougeoyait au-dessus de la ville.

— Cette lueur, c'est du coton qui brûle — celui d'une égreneuse d'Opelousas Road. Ils font ça tous les soirs, depuis que la marine les a trahis. Ils leur en veulent à mort.

— Parce que nous, ils nous aiment ?

— Ils étaient prêts à reconsidérer leur position.

— Tu es obsédé par cette malédiction, Dan.

— Je te le répète, elle va s'acharner contre nous.

— Le coton est parti. Il est en route pour Cairo. Le reste est une autre histoire.

— Nous n'en verrons pas la fin.

Comme je ne lui répondais plus, il prit un air ulcéré et contourna une échoppe de tailleur pour regagner son bateau sans retraverser l'hôtel. Je rentrai, et trouvai enfin une place à table. Le dîner n'était pas trop mauvais : bœuf de conserve, choux, pommes de terre, gâteau de riz au rhum, et du vrai café — premier signe de changement quand l'Union envahit une ville. Quand je regagnai le hall, Ball était revenu prendre son poste, un deux-galons grisonnant et couturé qui ressemblait à un vieux marin d'eau douce, ce qu'il était probablement. Il parlait à une femme dont le fils avait été fait prisonnier, mais il me remarqua et m'appela, lui disant d'attendre. Il me serra la main.

— M. Cresap, Sandy Gregg m'avait prévenu de votre visite. Je vous ai reconnu par sa description.

— Je suis facile à décrire, dis-je en agitant ma canne.

— Il ne m'en a pas parlé. Il m'a simplement parlé de votre belle allure — et de ce billet déchiré que vous avez. Pourrais-je le voir, M. Cresap ?

Je lui en montrai une moitié, et à son expression épanouie, je compris que, sans le vouloir, je possédais le mot de passe d'une quelconque société secrète dont j'ignorais tout. Il souffla :

— C'est le talisman des vieux contrebandiers, et bon sang, ça me ramène loin en arrière, M. Cresap, bien avant l'annexion et la crise de quarante-six. A l'époque, tout était réglementé, des polichinelles aux machines à coudre, et y avait une sacrée contrebande par ici, dans le sud. Jefferson, Texas, était le port d'attache de la Lone Star (1) et Shreveport nous appartenait. Nous avions déjà ces longs bateaux étroits, et ce que nous avons pu transporter à travers les bayous ! De Twelve Mile Bayou au lac Caddo, et de Big Bayou à la Red River... y en avait pour des millions, m'sieur ! Et avec chaque faux manifeste d'expédition, on me donnait un billet de cinquante comme celui-ci, déchiré de

_____

(1) **The Lone Star State :** le Texas, dont les armoiries ne portent qu'une seule étoile. (N. du T.)

façon à compléter le morceau que j'avais dans mon portefeuille !
Eh ben, puisque vous en avez un, ça me prouve que vous avez de
vrais amis, et je m'en vais vous dire toute la vérité. Nos ordres, à
nous, dans la marine, sont de donner des reçus pour le coton
loyal, qu'il soit capturé ou non. Mais est-ce qu'il y a un brin de
coton loyal à Red River, hein ? Y en a pas ! Il a été réquisitionné
par les Confédérés à Shreveport pour l'exportation ! Et vous
savez comment ils font ? Une fois au Texas, ils l'expédient par
bateau jusqu'au Mexique.
Je lui dis que j'étais au courant, et il reprit :
— C'est tout ce que nous avons entendu dire. Mais y a aussi un
élément de confusion. Sandy vous a parlé du pochoir ?
— Ma foi non.
— Quand nous capturons une balle, nous peignons dessus
USN pour que ce soit bien net. Et nos gars — aucun ordre officiel
n'a été donné, c'était juste une idée de l'équipage — ils impriment
une deuxième marque dessus, ECA — tout ça, c'est parfaitement
régulier, vu que ça veut dire Embargo Cotonnier Americain, U.S.
Navy. Mais un tribunal pourrait bien en conclure que ça veut dire
« Etats Confédérés d'Amérique ». Qu'est-ce qui l'en empêcherait,
hein ? Mais vous allez m'demander pourquoi un tribunal ne peut
pas demander ce que le pochoir veut dire ? Puisque vous le
demandez, je vais vous le dire. Selon la loi de la prise, si la prise
porte une marque suffisant à son « identication » (c'est le mot qu'il
employa) la cause est entendue, et plus personne ne peut venir
réclamer, la loi l'interdit ! Alors, vous m'sieur Cresap, pour ce qui
vous concerne, avec vot'coton de l'entrepôt Rachal, vous êtes
dans la panade ! Me suis-je bien fait comprendre ?
— Parfaitement.
— ECA-ECA, c'est du pareil au même.
— Tout comme *Faucon noir-Faucon noir.*
— Vous y êtes ! La guerre, c'est la guerre !
Il se pencha vers mon oreille :
— Je vous pose la question, m'sieur Cresap. Ce coton, vous
l'avez déjà acheté ou non ?
— Pas encore, lieutenant Ball.
— Eh bien, n'en faites rien ! Gardez votre argent !
— Je me souviendrai de ce conseil. Merci.

Rappelant la femme, il prit le nom de son fils et lui promit de
faire son possible pour obtenir sa libération. Puis il se renversa
dans son fauteuil et reprit son évocation du bon vieux temps de la
contrebande au Texas, ne s'interrompant que lorsqu'un homme
en cuissardes de velours et large chapeau de feutre se pencha vers

lui. Nous étions assis l'un en face de l'autre, lui derrière son bureau, moi devant, tournant le dos à l'entrée. Levant les yeux, il dit :

— M. Burke, je regrette, mais rien de nouveau. Nous ne pouvons emmener personne tant que l'occupation n'est pas terminée.

— Mais il faut absolument que j'aille à Shreveport, dit la voix familière, avant de partir pour Springfield surveiller mes intérêts. J'ai une opportunité exceptionnelle d'acheter une quantité de coton sur la Sabine...

— Le dépôt Pulaski ?

— Aye, une cache de cinq mille balles, pas moins !

— L'armée a aussi ses bateaux, pourquoi n'allez-vous pas leur demander...

— L'armée et moi avons certains différends.

— Avec cette armée-là, ça ne m'étonne guère, nous en avons nous-mêmes. Mais pour deux millions de coton, j'arrêterais de faire le fier ! Et si vous y alliez en voiture ? Y a pas besoin de laissez-passer sur la route.

— C'est une idée, j'y réfléchirai.

Ils en discutèrent encore pendant un moment, puis, sans doute pour changer de sujet, Ball demanda :

— Est-ce que la jeune dame est allée à Pineville, visiter la tombe de sa mère ?

— Elle... le mauvais temps l'en a empêchée.

— Elle a toujours le laissez-passer de Powell ?

— Aye. Elle se souvient de lui dans ses prières.

— Dès qu'elle sera décidée, n'importe quel canot l'emmènera là-bas.

— Elle en sera reconnaissante, n'en doutez pas.

— C'est drôle, M. Burke, j'y ai souvent pensé : comment a-t-on pu construire cette ville sans aucun endroit pour enterrer les gens ? Y a pas de cimetière ici, je me demande pourquoi. Les gens s'imaginent qu'ils ne mourront jamais ?

— A ce qu'on m'a dit, il y en a beaucoup qui ne meurent pas.

— Sauf ce malheureux Powell !

— Vous n'avez pas trouvé le saligaud qui l'a tué ?

— Pas encore, mais Dieu le protège si jamais nous mettons la main dessus !

— Tous mes vœux vous accompagnent.

Ils reparlèrent d'elle, Burke disant qu'elle était terriblement « cafardeuse » aujourd'hui, sans doute à cause de la pluie.

Combien ce dialogue dura, je n'en sais rien, mais assez

longtemps car Burke ne voyait que mon dos, suffisamment longtemps en tout cas pour que j'en sois ébranlé. Je pensai : depuis quand était-elle « cafardeuse » aujourd'hui ? Elle ne m'avait absolument pas semblé triste, débordante au contraire de vivacité, d'ironie et de colère. Puis je pensai : si elle n'était pas triste, pourquoi a-t-il dit qu'elle l'était ? Pour justifier qu'elle n'ait pas utilisé son laissez-passer ? Mais alors je pensai : Pourquoi ne s'en est-elle pas servi ? J'agitai ces idées sans trop les approfondir, mais soudain, cela me frappa comme un marteau de forgeron : Supposons qu'elle n'ait pas à s'en servir ? Supposons que ce ne soit qu'un subterfuge pour obtenir la signature de Powell, afin que Burke puisse l'imiter sur le reçu que la marine ne lui donnerait jamais ? Et supposons que ce soit l'explication de l'assassinat de Powell, de sorte qu'il ne puisse révéler le pot aux roses devant la cour de justice ? Pendant une seconde, je la crus coupable, et la seconde d'après, j'éprouvai à nouveau le même sentiment que Booth. Puis ensuite, comme toujours, je lui trouvai une excuse : Supposons qu'elle ignore tout de ce laissez-passer ? Supposons qu'il l'ait obtenu pour elle sans le lui dire, de façon à pouvoir fabriquer un faux reçu ? Cela correspondrait à son attitude quand elle s'était vantée d'avoir un reçu ; elle le croyait réellement. Mais cette affaire, dès que la marine aurait compris pourquoi Powell était mort, finirait par amener Mignon au pied de la potence. Car, dès qu'on fouillerait les papiers de Burke, on y trouverait le laissez-passer à son nom, le faux reçu avec sa signature imitée, et aucune preuve qu'elle n'ait pas trempé dans l'assassinat !

Au moment où il baissa enfin les yeux et me reconnut, j'étais certain de pouvoir résoudre deux ou trois mystères d'un seul coup. Je dis :

— Salut, Burke.

— Qu'est-ce que vous fichez ici, Cresap ?

— Je parlais avec le lieutenant. Maintenant, c'est à vous que je parle.

— Nous nous sommes tout dit, il me semble.

— Pas encore. Merci, lieutenant Ball.

Ball, assez saisi, m'adressa un au revoir circonspect. Me levant, j'allai m'installer à une table libre, emmenant ma chaise avec moi, mais Burke ne fit pas mine de me suivre. J'élevai le ton :

— Si vous préférez que toute la marine entende...

Il connaissait déjà la puissance de mes hurlements, et s'empressa de me rejoindre, ramassant au passage une chaise pour s'asseoir, mais je la fis tomber d'un coup de pied.

— Restez debout pour me parler !

— Vous parler, et de quoi donc ?

— Disons... d'un petit meurtre ?

— Vous êtes fou ! Quel meurtre ?

— Celui du lieutenant Powell, peut-être... dont vous avez obtenu la signature sur un laissez-passer pour que Mignon puisse traverser le fleuve ; cette signature, vous l'avez imitée sur un reçu, un faux reçu de la marine pour votre coton, de même que vous aviez fabriqué une lettre de dénonciation le mois dernier à la Nouvelle-Orléans... Puis vous l'avez tué pour plus de sécurité.

— Cresap, il faudra vous enfermer ! Je crois que vous êtes fou !

— Je pense le contraire, et voici ma question : qu'est-ce que nous allons faire ? Je n'étais pas là, je n'ai pas assisté au crime, je n'ai pas les moyens de vous faire arrêter. Tout s'articule sur vos éventuels complices, ceux qui figurent sur vos contrats d'achats et qui sont aussi coupables que vous. Sans leur témoignage, je ne peux rien contre vous, mais je peux détruire vos papiers et vous priver à jamais des cent vingt mille dollars que ce crime allait vous rapporter. S'ils sont vos complices, je vous mettrai tous dans le bain, vous, votre associé... et elle. Je me moque éperdument qu'elle soit belle, que vous l'aimiez ou non ou que qui que ce soit l'aime, elle se balancera tout comme vous !

Je le laissai s'imprégner de ce discours. Il se mordillait les lèvres. Puis je repris :

— Alors, voilà ce que nous allons faire. Aller au fond des choses, et voir qui sera pendu par le cou. Venez, nous allons chez eux, séance tenante !

— Ça me convient parfaitement.

— Parfait, allons-y.

— Mais j'ai une suggestion à vous faire, mon garçon — une fois que nous aurons expliqué tout ça à Adolphe et à Mignon Fournet, bien sûr — c'est que nous allions tous chez moi, parce que tous mes papiers y sont. L'endroit est confortable dans Second Street à côté du marché, juste derrière le magasin d'Adolphe. Nous examinerons tout tranquillement, et je vous prouverai une fois pour toutes que vous vous méprenez gravement.

— S'ils sont d'accord, nous irons chez vous.

— Bon, tout est en ordre, nous pouvons partir.

Tout était en ordre, et même un peu trop. Car je venais de me jucher sur une branche, et j'étais tout bonnement en train de la scier. J'étais venu sans arme, ignorant que je pourrais en avoir besoin, et je n'aimais pas du tout l'idée d'aller me promener dans la nuit avec un homme capable de tout, et surtout de m'assassiner moi aussi. J'avais accumulé tant de venin que je m'étais découvert trop vite, et maintenant j'avais le sentiment désagréable de marcher à la mort. Cependant, ma colère me sauva la vie, car pendant que je parlais, chacun s'était tu dans le hall et s'était tourné dans notre direction ; quant à l'employé de l'hôtel, le type au cou raide qui avait réparti les logements, il était tellement affolé par mes propos venimeux que, courant à la porte et l'ouvrant, il appela :

— Un caporal de la Garde ! Caporal de la Prévôté !

Un militaire entra aussitôt, un simple soldat en tenue de patrouille, l'arme au côté, qui jaugea la situation d'un coup d'œil et vint directement vers Burke et moi :

— Qu'est-ce qui se passe ici ? Il y a du grabuge ?

— Ce n'est rien, dis-je, juste une petite querelle amicale qui ne regarde que nous.

Puis, réfléchissant rapidement, j'ajoutai :

— Mais je crois que ma vie est en danger si je rentre seul chez moi, et si vous pouviez demander à votre caporal, ou à celui qui commande la patrouille, de me procurer une escorte, je vous en serais très obligé.

— Où habitez-vous, monsieur ?

— Magasin Schmidt, à deux pâtés de maisons d'ici.

— C'est sur mon chemin. Je vous accompagnerai moi-même.

— Moi aussi, fit Burke. Ma vie aussi est en danger !

Je ne sais trop pourquoi, tout le monde se mit à rire. On nous applaudit quand nous gagnâmes la porte, Burke et moi devant, le soldat fermant la marche. Même Ball se moquait de moi, mais pour la première fois de la journée, j'avais agi intelligemment.

Nous formions un défilé bruyant en descendant la rue, les bottes du garde sonnant, ma canne cliquetant et les jambières de Burke crissant comme un vieux jeu de cartes effeuillé. Quand nous fûmes à destination, j'ordonnai à Burke d'aller réveiller M. Landry et Mme Fournet pendant que j'allais chercher quelque chose dont j'avais besoin. Après avoir remercié le soldat, je pris l'allée, grimpai l'escalier jusqu'à la galerie et entrai chez moi. Me précipitant dans la chambre, je fouillai fébrilement dans mon sac, et après en avoir tiré toutes sortes de choses — des sandwiches, du linge et une gourde — je finis par empoigner mon revolver. Je l'enfonçai dans ma poche, sans me soucier du harnais, puis regagnai la rue. Le soldat était resté au coin, regardant en direction de l'appartement de Landry. Burke, sur la galerie, tambourinait à la porte et appelait très fort en français. Aucun bruit ne lui répondit, aucune lumière n'apparut.

— Ils ne répondent pas, fit-il d'un ton maussade.

— Je m'en serais douté, puisque vous leur avez dit de n'en rien faire, dans votre jargon. A moi, ils répondront !

— Hé, vous !

C'était le soldat, qui m'interpella et me barra le passage au moment où j'allais monter. Il fit redescendre Burke et nous aboya :

— Maintenant, ça suffit ! Rentrez chacun chez vous, sinon vous finirez la nuit au bloc !

Je me tournai vers Burke :

— Je vous attends chez moi demain matin, et amenez-les tous les deux, à neuf heures précises !

Je le regardai disparaître dans la nuit, remerciai le garde une fois de plus et remontai dans mon appartement. Je verrouillai la porte, allumai un bout de bougie fiché dans un bougeoir de fer, suspendis mes vêtements dans l'armoire de la chambre, enfilai ma chemise de nuit et me mis au lit. Comme je m'apprêtais à souffler la bougie, une des têtes de porcelaine m'adressa une grimace. Je lui dis :

— Mon vieux, pour une fois, ce n'est pas de moi qu'il faut rire. Et tu n'as encore rien vu. Attends seulement jusqu'à demain, et tu auras vraiment de bonnes raisons de t'amuser.

XVIII

J'AVAIS dormi longtemps, plusieurs heures à ce qu'il me sembla, quand je m'éveillai en sursaut, avec un picotement dans l'échine signifiant que je n'étais pas seul. Peut-être un bruit perçu dans mon profond sommeil m'avait-il averti, je ne sais. J'écarquillai les yeux dans l'obscurité, me demandant comment quiconque, à moins d'être sorcier, avait pu déverrouiller ma porte pour entrer. Je me rappelai alors la fenêtre que j'avais laissée entrouverte dans la cuisine. Au travers de la cloison séparant la chambre du couloir me parvint un bruit, le frottement léger, hésitant, d'une main qui cherchait sa route. Je saisis mon revolver à tâtons. Ceci fait, je demeurai immobile un long moment, mais quand un nouveau son, plus rapproché, me parvint, je me déplaçai, empoignai l'un des oreillers et le tassai sous les couvertures de façon à simuler une forme humaine. Ensuite, je pris la tête de porcelaine que je posai sur l'autre oreiller. Maintenant, auprès de moi, il y avait un autre dormeur. Sans lâcher mon arme, je me laissai glisser dans la ruelle, à l'abri. J'attendis.

Le frôlement avait atteint la porte. Puis la clenche cliqueta, et les gonds gémirent. La porte s'ouvrit peu à peu, et une ombre noire s'approcha. Je faillis crier « haut les mains » mais me retins à temps, pour donner à l'intrus la possibilité d'entrer plus avant dans la pièce, de sorte que je puisse bondir entre lui et la porte pour lui couper la retraite. C'était Burke, à n'en pas douter ; je préférais le tenir en respect que l'abattre. Ensuite je frapperais au mur mitoyen, appellerais Mignon et son père, et il ne resterait plus qu'à jouer cartes sur table : découvrir qui était coupable, et de quoi. Si elle était complice, si elle avait laissé Burke solliciter ce laissez-passer pour elle, ce préliminaire au meurtre de Powell, je les fourrerais tous dans le bain, elle comme les autres. Cela peut sembler mesquin, mais je sentais encore son crachat sur mon visage, et elle n'avait rien fait aujourd'hui pour m'en faire oublier le goût. Mais si elle ignorait tout du laissez-passer, si elle n'avait été qu'un instrument inconscient, je garderais mon calme jusqu'à ce que je me sois procuré les papiers. Une fois ceux-ci tassés dans le poêle, j'obligerais Mignon à y mettre le feu et me sentirais alors libéré, capable de prendre un nouveau départ... Me hâter de rentrer à la Nouvelle-Orléans, recommencer à chercher vingt-cinq mille dollars, peut-être retourner auprès de Marie si elle voulait encore de moi...

Tout cela me traversa l'esprit, je m'en souviens nettement, tandis qu'accroupi je retenais mon souffle. Puis les événements se précipitèrent. L'ombre s'était rapprochée insensiblement, se trouvait maintenant tout contre le lit. Il y eut un éclair aveuglant et une détonation — le bruit assourdissant d'un coup de feu tiré en espace confiné. Alors l'instinct de la conservation, plus puissant que n'importe quel plan soigneusement élaboré, prit le dessus. Tandis que les innombrables débris de la tête de porcelaine volaient encore dans la pièce, je fis feu par pur réflexe, sans même m'en rendre compte. Puis je tirai à nouveau, délibérément. On ne peut pas viser dans le noir, mais ma main agit d'elle-même, et le bruit d'une chute sur le plancher m'apprit que j'avais fait mouche. Contournant le lit, je tâtonnai avec mon pied nu, touchai un revolver. Je le ramassai, secouai le corps allongé sur le sol. Il n'eut aucune réaction, d'où je conclus qu'il me fallait, et vite, m'en remettre aux autorités. J'allai dans le salon, soulevai la fenêtre et criai :

— Caporal de la Garde ! A moi !

Je répétai mon appel trois fois, le ponctuant à mesure de trois coups de feu en l'air, selon les règles militaires. Puis j'obtins une réponse militaire :

— Caporal de la Garde, yo ! Nous vous entendons ! Qui êtes-vous ? Où êtes-vous ?

— Magasin Schmidt, deuxième étage, Front Street !

— On arrive !

Je me dirigeais en clopinant vers la chambre quand, dans le couloir obscur, j'entendis un chuchotement :

— Willie, vous n'êtes pas blessé ?

— Mignon ! Pour l'amour de Dieu, où êtes-vous ?

— Ici, vous ne me voyez pas ?

Quelque chose me toucha le front, et j'empoignai la main de Mignon, qu'elle avait glissée par le vasistas. Un instant, un merveilleux instant, ses doigts se nouèrent aux miens, puis elle répéta :

— Willie, vous n'êtes pas blessé ?

— Non, mais sauvez-vous vite ! Je viens de tuer un homme, Burke il me semble. La patrouille de la Prévôté arrive. Il ne faut pas qu'ils vous trouvent ici !

— J'ai cru mourir en entendant ces coups de feu !

— Entendu ? Où diable étiez-vous donc ?

— Chez moi. Où vouliez-vous que je sois ?

— Alors pourquoi n'avez-vous pas répondu aux appels de Burke ?

— Quand mon père n'est pas là, je ne réponds jamais à personne ! C'est mon unique façon de me protéger...

— Pourtant, vous m'avez ouvert, à moi.

— Parce que je savais que c'était vous... Quant à Frank...

— Ne vous inquiétez plus pour lui, il est mort.

— J'ai déjà essayé de vous le dire : ça m'est égal.

Je pressai sa main, comme une mère voulant attirer l'attention de son enfant :

— Mignon, vous devez être très prudente, ou c'est la catastrophe ! Je n'ai pas le temps de vous expliquer, mais il s'est passé des choses terribles. Si vous les connaissiez, vous ne parleriez pas comme cela ! Vous risquez la potence, vous et votre père ! Il faut absolument dissimuler la vérité, surtout au sujet des papiers de Burke ! Alors si vous m'entendez raconter des mensonges, n'intervenez sous aucun prétexte. J'ai d'excellentes raisons, et votre vie est en jeu ! Mignon, vous avez compris ?

— Oui, mais c'est tellement bizarre...

— Vous avez compris ?

— Mais oui, Willie ! Vous êtes sûr que vous n'avez rien ?

— Certain, maintenant, allez-vous-en !

— Votre voix est toute changée.

— Mignon, la Prévôté arrive !

Elle retira enfin sa tête et baissa le châssis vitré. On entendait une galopade dans l'escalier. Tandis que j'allais ouvrir, mon cœur battait à se rompre et ma tête tournait ; elle n'avait pas voulu ouvrir à Burke, elle n'avait jamais couché avec lui et ignorait tout de sa machination — du moins de celle qui s'était achevée par le meurtre de Powell. Je voyais les choses désormais sous un éclairage tout différent.

Le caporal portait une lanterne sourde. Suivi de deux de ses hommes, il m'accompagna dans la chambre. Mais quand il braqua le faisceau lumineux, j'eus une première surprise. Ma victime n'était pas Burke, mais Pierre Legrand, son gippo. Le caporal s'empara des deux armes, que j'avais gardées à la main, les renifla et les posa sur la table de nuit. Puis il déboutonna la vareuse de Pierre et en fouilla les poches, à la recherche d'une identification, mais sans rien trouver. L'idée me frappa alors que Pierre n'était sûrement pas connu des soldats, n'étant arrivé que récemment et pourrait fort bien le rester, du moins dans l'immédiat, pour peu que je joue les bonnes cartes. Aussi, quand je fus interrogé, je racontai les événements tels qu'ils s'étaient déroulés, mais en utilisant simplement le mot de « rôdeur ». En d'autres termes, j'avais dit la vérité, mais pas toute la vérité. Le caporal secoua la tête :

— Cette saloperie de ville grouille de racaille, de voleurs, d'assassins et de forbans de toute sorte. Je suis sûr qu'ils nous voleraient nos bateaux s'ils n'étaient pas si bien attachés aux quais !

Il posta un homme en sentinelle, dit qu'il allait chercher le capitaine et me conseilla de m'habiller si je le voulais.

— D'ici une demi-heure, nous vous aurons débarrassé le plancher et vous pourrez dormir.

Il s'apprêtait à partir, mais sur le seuil, il s'adressa soudain à l'un de ses hommes.

— Voyez-vous la même chose que moi, soldat ?

— Eh bien, caporal, éclairez-moi un peu.

— Ce bonnet, là, sous le lit.

— Nom d'un chien !

Le soldat se jeta à quatre pattes, ramassa l'objet et tomba en arrêt devant le pompon rouge.

— C'est lui, souffla-t-il, celui qui a tué le lieutenant Powell ! Rappelez-vous ce qu'a dit le quartier-maître qui l'accompagnait ! Il n'a pu voir que le bonnet de l'assassin, un bonnet de la marine française, avec un gland rouge dessus.

— Ce n'est pas un gland, c'est un pompon !

— Appelez ça comme vous voulez, c'est rouge en tout cas !

— Caporal, vous feriez bien de prévenir la marine.

— Et comment, qu'elle va être prévenue !

Le temps de me rhabiller, j'étais devenu un héros national. On me couvrit de félicitations. La marine arriva : Ball, Sandy et trois enseignes de l'*Eastport* ; un deux-galons du navire-amiral et divers cols-bleus de provenances diverses. Ils s'ajoutèrent au capitaine Hagen de la Prévôté, le caporal, d'autres soldats, une civière et des lanternes si nombreuses qu'on y voyait comme en plein midi. Tous s'agglutinèrent autour du cadavre comme une meute de chiens courants, et tous s'aplatirent devant moi, l'homme sans peur qui avait abattu un criminel. Aucun d'eux ne semblait savoir qui était Pierre, sinon qu'il avait assassiné Powell, et je me gardai bien de les renseigner, feignant même, par une réaction nerveuse, de ne pouvoir supporter la vue du cadavre. Toutefois Hager, après m'avoir fait admettre que j'avais demandé un garde du corps dans la soirée, commença à me poser des questions embarrassantes, mais je lui dis :

— C'était une simple précaution. Je transporte une grosse somme d'argent, mais je n'ai rien à voir avec cet homme. Je suppose qu'il a dû entendre parler de moi...

Ce qui sembla le satisfaire, au point qu'il me rendit mon revolver.

— Manifestement, vu les circonstances et les habitudes de cette ville sans loi, vous pourrez encore en avoir besoin.

Puis il ordonna aux hommes de nettoyer la chambre ; Ball dit à ses marins de les aider. Ils trouvèrent des seaux et des balais dans la cuisine, ramassèrent les débris de porcelaine qui couvraient le sol, secouèrent les couvertures et refirent le lit au carré. Ils travaillaient avec une efficacité remarquable, et pendant ce nettoyage, Sandy m'entraîna dans le couloir :

— Sacré tonnerre ! Cette fois, tu as touché le gros lot !

— De quoi parles-tu ?

— De ton reçu ! Maintenant, on ne pourra pas te le refuser !

— Mais, Sandy, je n'ai pas de reçu !

— Je le sais bien, puisque tu n'as même pas de coton, mais voilà ta chance de l'obtenir ! Tu ne comprends donc pas ? La marine ne peut plus rien te refuser sans perdre la face ! Après tout, nous cherchons des amis sûrs, et toi, tu viens de régler son compte au tueur que nous recherchions ! Tu auras ton coton, Bill ! Celui de l'homme qui doit te contacter avec sa moitié de billet ! Et s'il ne se montre pas, achète n'importe quel coton à n'importe qui, du moment qu'il en possède le titre de propriété ! Tu es le seul qui puisse obtenir un reçu, tu as le monopole, tu seras l'unique enchérisseur, ils seront obligés d'accepter ton prix, tu peux avoir ce coton pour trois fois rien ! Tu ne comprends donc rien ? **Et puis, arrête de discuter !** Je me suis creusé la cervelle toute la nuit pour essayer de trouver un système au sujet de ces vingt-cinq mille dollars, et maintenant que tu les as dans le creux de la main, tu fais la fine mouche...

— Je n'ai pas dit un mot !

— Très bien, alors dis quelque chose !

— Je vais réfléchir, ne t'inquiète pas.

Ils s'en allèrent enfin, emportant le cadavre, et après avoir fermé la fenêtre et verrouillé la porte, je retournai me coucher. Mais je restai un moment dans le couloir, à rassembler mes esprits, à penser à ce que j'allais faire au sujet de Burke et de ses maudits papiers. Il fallait que j'agisse rapidement, avant qu'on n'ait identifié Pierre et que le pot aux roses ne soit découvert. Puis, du plafond descendit un chuchotement :

— Willie, ils sont partis ?

— Oui, Dieu merci.

— Apportez l'escabeau, que je puisse descendre.

— Vous êtes restée là-haut tout le temps ?

— J'avais laissé l'imposte entrouverte.

J'installai l'escabeau, et très vite elle fut dans mes bras, en tenue de nuit, avec son merveilleux parfum. Mes mains s'égarèrent sur sa chair dénudée, et le temps s'arrêta lorsque nos bouches se soudèrent. Je l'emportai comme une proie dans la chambre et plus rien n'exista que la faim dévorante que nous avions l'un de l'autre. Bien plus tard, appuyée sur un coude, elle me parla de ma victime :

— C'était Pierre, je l'ai vu quand ils l'ont emmené.

— Je m'étais trompé.

— De quoi parliez-vous avec Sandy ?

— Oh, une combinaison louche dont il a eu l'idée.

— Je l'ai entendu parler de coton.

— En effet, le mot a été prononcé.

— Willie, pas de cachotteries, ou je me mets à hurler ! Puis je vous tordrai le cou ! Alors, quelle était son idée ?

Je la lui révélai sans entrer dans les détails, et quand j'eus terminé, elle dit :

— N'y pensez plus ! Je ne veux plus rien avoir affaire avec le coton, plus jamais, vous m'entendez ! Ni de près ni de loin !

— Le coton ne m'attire pas spécialement.

— Ecoutez bien, Willie Cresap...

Mais je l'interrompis d'un baiser.

— Mignon Fournet, c'est à vous d'écouter.

Je lui dis que nous avions peu de temps, et que je devais lui révéler les faits qui pouvaient lui sauver la vie, ainsi qu'à son père. Je repris tout du début, pourquoi j'avais quitté la Nouvelle-Or-

135

léans, ce que Dan m'avait dit sur le bateau, le véritable but de ma visite la veille, sous la pluie, ce qui m'était passé par l'esprit quand elle m'avait dit que le reçu avait été signé. Je lui parlai de ma visite sur l'*Eastport* et de mon astuce du billet déchiré. Je lui parlai de ma démarche à l'hôtel, des réponses que m'avait faites Ball, de l'apparition soudaine de Burke. Mais quand j'en arrivai au laissez-passer, elle me coupa très vite la parole :

— Je n'ai jamais demandé de laissez-passer !

— Je m'en doutais un peu.

— Mais qu'est-ce que Frank pouvait bien avoir en tête ?

Ses yeux s'arrondirent d'incrédulité, devinrent deux lunes noires quand je lui parlai du reçu que Burke, j'en avais la certitude, avait fabriqué grâce à la signature du laissez-passer, de son rapport étroit avec le meurtre de Powell, et des conséquences si on le découvrait dans les papiers de Burke une fois que Pierre aurait été identifié comme son garde du corps.

— Vous êtes impliquée par ce laissez-passer, et votre père par son contrat d'association !

Puis, pour liquider cette amertume, avec laquelle je vivais depuis si longtemps :

— Votre père aurait mérité le pire, pour s'être servi de vous comme appât.

— Comment ?

— Vous lui avez servi d'appât, pour Burke !

— Dieu ! Les idées que vous vous faites !... Le seul, l'unique appât, c'est le coton de Pulanski, cette possibilité d'en acheter un stock énorme sur la Sabine River que nous avons fait miroiter à Frank pour l'empêcher de détruire ses titres par dépit ! Et la raison de ma venue ici, celle pour laquelle j'avais besoin d'aller sur la Red River, c'est que je suis la seule à connaître ces gens, ces planteurs du Texas, que j'avais connus avant la guerre par l'intermédiaire de mon mari !

Cela correspondait aux propos que Burke avait tenus à Ball, et je m'empressai de rentrer mes griffes, surtout quand elle m'eut affirmé catégoriquement que Burke ne l'avait jamais touchée. Mais quand elle voulut remettre le sujet sur son père, je l'interrompis :

— Au fait, où est-il donc ? Il faut que je le voie tout de suite.

— Je vous l'ai dit hier, il est parti chercher du gibier à la campagne. Mais l'indien qui le lui procure est souvent en retard, il doit attendre un jour ou deux et...

— Quand rentrera-t-il ?

— Sans doute au lever du soleil.

— J'espère que je pourrai le voir à temps.

— La nuit s'éclaircit, je dois partir.

— Un instant, Mignon. Revenons-en à Powell, à la façon dont il a été tué. Si vous ne me croyez pas...

— Willie, je vous crois.

Elle se leva, et dans la grisaille de l'aube enfila sa robe de chambre, disant :

— Je sais ce qu'il faut faire. Et si mon père, maintenant que Pierre est éliminé, ne va pas chez Frank avec un revolver pour prendre tous ses papiers et les brûler, vous savez qui le fera ?

— Moi.

— Non, Willie, moi.

XIX

Q UAND elle m'ouvrit la porte, elle était vêtue d'une robe de guingan à carreaux rouges ; c'est la première fois que je la voyais porter autre chose que du noir. Ce n'était qu'une robe d'intérieur, mais qui lui allait bien au teint, ce qui la combla d'aise quand je le lui dis. Elle m'introduisit dans l'appartement, réplique inversée du mien, et pourtant aussi différent que le jour de la nuit. Au lieu des nattes de coco, des tapis de haute laine ; au lieu de la peinture caca d'oie, un joli papier imprimé de princesses, de seigneurs et de chiens ; au lieu du remugle poussiéreux, un arôme composite : son parfum, celui des livres et l'odeur du jambon en train de frire ; au lieu des rois de Prusse dans le salon, des livres par centaines, remplissant les rayonnages qui couvraient la presque totalité des murs. Sur le dessus, toutes sortes de bibelots, de gravures, de photographies de Mignon enfant, d'anciens carnets de bal. Pour démodé qu'il fût, l'ameublement était agréable, orné de tapisserie. A une extrémité, un grand Steinway, à l'autre une vaste table supportant une bouilloire sur un trépied dans lequel brûlait une lampe à alcool qui assainissait l'atmosphère. Quand je lui demandai qui jouait du piano, elle s'installa et plaqua quelques accords.

— C'est du Mozart. Mon père adore *Don Juan*.

Puis soudain :

— Je dois surveiller ma cuisine !

Je l'accompagnai dans la cuisine, identique à la mienne, mais

138

dont on se servait régulièrement, encombrée de sacs, de coffres et de boîtes en fer. Dans un poêlon sur le feu frémissaient des tranches de jambon qu'elle retourna à l'aide d'une fourchette. Elle semblait très fière de savoir cuisiner.

— J'ai appris au couvent de Grand Coteau. Nous y apprenions à devenir des femmes du monde, mais quand la guerre a menacé, la Révérende Mère nous a appris à devenir bonnes cuisinières.

Elle me servit un petit déjeuner dans la salle à manger : compote de prunes, œufs au jambon, bouillie de maïs ; comme je m'émerveillais de ce menu en pleine période de restrictions, elle dit :

— N'oubliez pas que mon père est commerçant. Il sait où trouver de la nourriture et comment se la procurer.

J'étais en train de finir mon café quand elle leva la main :
— Le voilà.

Nous allâmes dans l'office ; elle tira les verrous de la trappe, je la soulevai. M. Landry monta, vêtu de grosse toile, un demi-daim écorché sur l'épaule. Il avait besoin d'un bon coup de rasoir et me sembla à la fois plus maigre et plus jeune que dans mon souvenir — c'était peut-être son aisance à manipuler le daim. Il dégageait une impression de force peu commune.

M'apercevant, il me serra la main tranquillement — ni surpris, ni inquiet, ni ravi. Je lui dis que j'avais à lui parler.

— Très bien, monsieur. Je vous verrai aussitôt que j'aurai dépecé cette carcasse. Je descendrai les morceaux dans la citerne, où ils se garderont au frais.

Quand je lui eus dit que ces opérations pouvaient attendre, il me lança un regard aigu, jeta la viande sur la table de cuisine, s'assit sur un tabouret et attendit. Je lui racontai toute l'histoire, jusqu'à la mort de Pierre.

— Ils vont sûrement l'identifier. Ensuite, ils fileront chez Burke pour l'interroger et passer sa maison au peigne fin. Vous courez un danger mortel, ainsi que Mignon, pour cette raison que...

— Je devine la raison.

— Où habite Burke ?

Il désigna par la fenêtre un immeuble en brique dominant Second Street, juste au coin du marché, encore fermé à cette heure matinale. Je demandai :

— Vous pouvez y entrer par-derrière ?

— J'ai la clef, tout comme Frank a celle de mon magasin.

— Alors, allez-y vite, sinon...

— Je sais qu'il faut faire vite !

Son intonation me fit frissonner. Il ne bougea pas, paraissant soudain très vieux. Il soupira, en passant une main sur le visage. Puis, il murmura avec accablement :

— Eh bien m'y voilà ! Au bout du rouleau...

— C'est vrai, dis-je, laissant une fois de plus parler mon amertume, après avoir pourchassé un feu follet, ce sac d'or que vous pensiez trouver sous l'arc-en-ciel, au ciel, en enfer, au fond du lac ou sur le fleuve, vous revoilà à votre point de départ, gros-jean comme devant, tout votre coton perdu — une fois que vous aurez détruit ce faux reçu, le reste ne vaudra même plus son poids de papier ! C'est tout ce que vous méritez, mon ami, pour vous être acoquiné avec ce putois qui vous a trahi pour de l'argent ! N'y a-t-il donc rien de plus précieux que l'argent ?

— De quel droit me jugez-vous ?

— Celui d'un homme qui est ici à cause de vous ! Vous aviez emmené Mignon, il fallait que je vienne, que je le veuille ou non ! J'ai bien essayé de me raisonner, de me dire que tout cela n'avait pas d'importance, mais je suis là, et je vous dis que sans vous, nous serions tous les trois à la Nouvelle-Orléans, Mignon et moi serions mariés et la vie continuerait. Au lieu de quoi, vous êtes à l'ombre des potences, elle et vous, et...

— Rien n'est aussi simple.

— C'est aussi simple que ça !

— Ce coton m'avait été confié par des gens désespérés, des gens que j'avais eu l'occasion d'aider autrefois. Ils sont fiers, et c'était leur façon de me rembourser. Ils sont toujours dans la misère, et si seulement je pouvais trouver de l'argent... je partagerais...

— Vous vous prenez pour le père Noël, ma parole !

— J'ai déjà partagé, vous le savez bien.

— Et quand a eu lieu cet acte charitable ?

— J'ai acheté des souliers à ces hommes. C'est pour cela que vous m'avez défendu.

— Désolé, j'avais oublié.

— Que faire pour ces pauvres gens ?

— Lutter pour leur pays, peut-être... qui est aussi le vôtre.

— Je regrette, c'est impossible.

— Je pense le contraire, M. Landry. Tout le contraire.

— Notre patrie, c'est la Louisiane. La guerre y a pris fin.

— Taylor se bat encore pour la Louisiane.

— Taylor est un fou. Je le méprise. **Je méprise tout homme qui demande à des soldats de mourir pour une cause perdue !** Je n'appelle pas cela du patriotisme mais de la stupidité ! C'est pourquoi si je réussis, par un subterfuge quelconque, honnête ou non, à échapper à l'enfer dans lequel nous sommes, cette espèce de demi-guerre qui nous a été imposée, et dans laquelle on ne nous laisse ni nous battre ni signer la paix, si j'arrive à voler à ces bandits suffisamment d'argent pour le distribuer à mes compatriotes, je le ferai, peu m'importe avec qui je doive m'acoquiner ! Il se trouve que c'était Burke, et qu'il m'a trahi. Croyez-moi, je l'aurais tué si j'avais eu le choix ! Mais qu'a-t-il fait de pire que les autres ? Ne nous ont-ils pas tous trahis, tous vendus ? Je voudrais pouvoir les tuer tous, je...

— Mais pas Willie, père !

Elle se tenait, raide, devant lui. Il avala sa salive et admit :

— Bien sûr, sauf Willie.

— Il t'a sauvé, ne l'oublie jamais.

Il me demanda alors :

— Comment va Miss Tremaine ?

J'ouvris la bouche pour répliquer vertement, mais elle me bâillonna de la main, lui demandant :

— Tu vas chez Burke ?

— J'y vais, il le faut bien.

Mais il ne fit pas un geste, comme s'il rassemblait son courage, et Mignon me dit de couper la viande. Elle prit dans un tiroir un couteau, un couperet et un affûtoir, m'expliquant :

— Vous détachez le cuissot d'abord, puis le collier, puis le râble, puis le paleron, ce qui laisse les côtes en un seul morceau. Comme cela, tout tiendra dans le cuveau. Mais avant tout, débitez-moi le jarret, j'en aurai besoin pour la soupe de ce soir.

Puis, tandis que j'aiguisais le couteau, il me désigna la rue, ce qui mit fin à mes débuts de boucher, du moins dans l'immédiat. Burke venait d'apparaître dans Second Street. Il marchait lentement et semblait chercher quelque chose tout autour de lui.

— Il cherche Pierre, chuchota M. Landry. Il ne doit pas savoir qu'il est mort !

Burke, cependant, avait atteint le carrefour, où il était tout seul, et après avoir regardé dans les quatre directions, disparut derrière sa maison. Nous le vîmes émerger quelques secondes plus tard dans la cour. Après avoir fureté dans les communs, il se dirigea vers la porte dans la clôture, tourné vers notre porte de derrière. Mignon dit à son père :

— Il va entrer avec sa clef, tu vas l'appeler. Dis-lui de monter, et tâche d'être naturel. Willie te couvrira.

Elle avait vu le revolver que j'avais rechargé avant de venir et fourré dans ma ceinture. Je m'en saisis et me postai avec elle derrière la porte de la cuisine. M. Landry alla dans l'office et lança un appel. Burke lui répondit et nous l'entendîmes gravir l'escalier. Puis Landry fit retomber la trappe derrière Burke pour lui couper la retraite. Nous nous regardâmes quand Burke dit :

— Adolphe, je suis très inquiet, Pierre n'est pas à la maison, il n'est pas rentré de la nuit. Et — le saviez-vous ? — Cresap est en ville ! Et j'ai entendu des coups de feu dans la nuit ! Pierre le déteste tellement que je crains le pire...

— Un gros ennui, n'est-ce pas ?

J'étais sorti, lui pointant le revolver dans les côtes, et le débarrassant du Colt Navy qui alourdissait la poche de son manteau. Je le tendis à Mignon, puis poussai Burke dans la cuisine, où il se laissa tomber sur le tabouret. Je lui dis de baisser les bras.

— Nous avons beaucoup de choses à nous dire. Et pour commencer sur le mode plaisant, cessez de vous tourmenter pour Pierre Legrand. Il est mort.

— Vous mentez !

— Non. Je l'ai tué, après qu'il eut essayé de m'assassiner. Qui lui en avait donné l'ordre, je l'ignore, mais tuer un homme endormi, c'est une méthode irlandaise à laquelle aucun Français n'aurait pensé.

— Où est-il ?

— Vous demanderez à la Prévôté.

— Qu'attendez-vous de moi ?

— Pour cela, je laisse la parole à M. Landry.

— Adolphe, ne me dis pas que tu es de mèche avec ce voyou !

— Frank, j'ai certaines questions à te poser.

— Mais je suis sous ton toit, dans la maison que tu m'as offerte, où tu viens de m'inviter à l'instant, où je suis venu en toute confiance ! Et les lois de l'hospitalité ?

— Je reconnais que je suis dans mon tort, mais c'est une question de vie ou de mort. Frank, parle-moi de ce reçu que t'a donné la marine pour notre coton.

— Eh bien quoi ? Je l'ai !

— M. Cresap est convaincu que c'est un faux.

— Encore ! Cet imbécile est obsédé, ma parole !

— Et ce laissez-passer pour Mignon ?

— Ça ? C'était pour lui faire une bonne surprise, et...

— Une bonne surprise ? Une visite sur la tombe de sa mère ? Et qui t'a donné le droit de te mêler de ça ?

L'audace de Burke d'avoir joué avec une chose sacrée semblait l'affecter encore plus que tout le reste, et je dus lui rappeler que cet incident n'avait rien à voir avec le sujet. Il ne sembla pas m'écouter, mais passa à autre chose :

— C'est toi qui as fait assassiner Powell par Pierre, n'est-ce pas ?

— Mais Adolphe, comment peux-tu penser une chose pareille ?

— Il y a eu des témoins !

— Ils ont vu... Pierre ?

M. Landry pivota et me dit :

— Racontez-lui ce que les hommes vous ont dit !

J'évoquai le pompon rouge, mais Burke s'obstina à nier l'évidence. Nous perdions du temps. Je dis :

— Burke, posez vos clefs sur la table.

— J'ai une clef de chez lui, dit M. Landry. La porte de derrière.

— Il peut avoir une chaîne de sûreté. Sortez vos clefs !

Il se hâta d'obéir, posant un trousseau sur la table, avec des clefs de toutes tailles. Je tendis le bras pour le saisir, accrochant mon revolver à mon petit doigt par le pontet. Ma canne était pour moi une seconde nature, occupant mon autre main, et supportant le poids de mon corps. Je n'y prêtais aucune attention, mais ce sournois d'Irlandais voyait tout. Il poussa ma canne du pied, juste un peu mais cela suffit pour qu'elle se dérobe sous moi. Je perdis l'équilibre et tombai tandis que d'une main il s'emparait de mon arme, et de l'autre frappait violemment Mignon au visage. Elle tomba sur le sol, lâchant le Colt Navy dont il s'empara aussi. Il brandit les deux revolvers.

— Ne bougez pas, et écoutez-moi bien, vous trois.

Dès lors, profitant de notre impuissance, il ouvrit en grand les vannes de sa haine. Lui aussi avait dû longtemps refouler ses véritables sentiments. Il nous insulta tous les trois avec une grossièreté indescriptible, me réservant les expressions les plus vulgaires. Il jura qu'il allait me tuer, et il en avait réellement l'intention. Mais M. Landry intervint :

— Ça suffit, Frank, tais-toi !

— Je me tairai si je veux !

— Tu veux te faire pendre ? C'est ce qui va t'arriver, c'est ce qui va nous arriver à tous, à moins que je ne récupère ce reçu avant que la marine ne le trouve.

M. Landry se pencha sur Mignon, la saisit aux aisselles, l'aida à se relever et l'embrassa. Puis il se tourna vers moi, les mains tendues. Mais, comme pour faire les choses dans l'ordre, il se ravisa et ramassa la canne. Un seul mouvement lui suffit. Saisissant la canne par le petit bout, il la balança comme une batte de base-ball, avec une telle violence qu'elle siffla dans l'air. Il y eut un craquement brutal et Burke s'effondra comme un gouvernail brisé par la tempête, entraînant son tabouret. J'attrapai les revolvers au vol, remis le Moore & Pond dans ma ceinture, tendis l'autre à M. Landry qui le prit distraitement. Il regardait Burke avec dégoût. Mignon, elle, contemplait son père avec une sorte de ferveur. Il me semble que je le félicitai pour la rapidité de son réflexe. Levant enfin les yeux, il caressa le Colt, puis ramassa les clefs, disant :

— Je veux qu'il reste où il est ; je m'occuperai de lui plus tard. Je vais fouiller sa maison... Découpez cette viande... Rangez-la. Si quelqu'un vient, laissez-le entrer, agissez naturellement... Parlez. Si on le demande... tout ce que vous savez, c'est... qu'il était sur le point de partir... pour Shreveport. Ne dites rien à personne... Et surtout, ne laissez personne entrer dans la cuisine.

— Bien, dit-elle.

— D'accord, approuvai-je.

— Je reviens le plus vite possible.

Il s'en alla, traversa le magasin, puis les clôtures, entra enfin dans la maison de Burke.

XX

ELLE descendit et disposa des journaux sur le sol, juste en dessous de la trappe. Puis elle revint près de moi, tandis que je débitais la bête, saisissant à mesure chaque morceau de viande et le jetant en bas, sur le lit de papier. Ce travail de boucher, nouveau pour moi, m'écœurait jusqu'à la nausée sans que je puisse savoir au juste si c'était l'odeur de la viande saignante ou le spectacle de Burke inerte sur le carrelage — peut-être les deux à la fois. Mais j'en eus rapidement terminé, et une fois la table, les outils et mes mains nettoyés, je descendis avec Mignon dans le magasin abandonné, au milieu des étagères vides, de l'odeur de moisi et des toiles d'araignées. Il fallait ranger la viande dans un baquet, qui se trouvait dans la vieille citerne. Le fond de la citerne presque à sec était recouvert d'un caillebotis, sur lequel était posé le baquet. Il était déjà à moitié plein de morceaux de viande, dont un poulet que nous mangerions au dîner. Je le lui tendis, et elle me fit passer les quartiers de venaison que je rangeai avec le reste. Puis je refermai le couvercle et la suivis à l'étage.

Quand je la rejoignis dans la cuisine, je la trouvai face au mur, se cachant le visage. Comme je m'inquiétais, elle désigna Burke :

— Willie, j'étais si contente qu'il soit mort ! J'étais fière que mon père l'ait tué... Mais il n'est pas mort ! Il respire encore !

C'était vrai ; de sa gorge s'échappait un râle entrecoupé. Je murmurai :

— Il n'en a plus pour longtemps.

— Willie, j'ai peur !

— Qu'est-ce que je dois faire ? L'achever ?

— Non !... Regardez, il a une bosse sur la tête !

— Eh bien, il a reçu un bon coup.

— Mais ça se voit ! Ça prouvera que nous l'avons laissé agoniser !

— Effectivement.

— Cela va réduire à néant toutes nos explications de légitime défense. Willie, qu'il meure ou non, cette bosse prouvera qu'il n'est pas mort sur le coup ! Si nous parlons de légitime défense, il aurait fallu que nous appelions au secours tout de suite après ! Au lieu de quoi, nous l'avons laissé sans soins...

— Ne nous affolons pas, réfléchissons.

A vrai dire, je commençais à avoir aussi peur qu'elle. Les choses ne s'étaient pas déroulées exactement comme il aurait fallu. J'aurais dû y réfléchir pendant que je coupais la viande, mais j'attendais le retour de M. Landry qui prendrait la direction des opérations — après tout, c'était lui qui avait donné le coup de canne, il était responsable. Mais c'était supposer qu'il ne resterait absent que quelques minutes, le temps de brûler les papiers, après quoi nous aurions pu décider de la marche à suivre, alors que le corps n'était pas encore refroidi. Mais presque une heure avait passé, et au lieu d'un cadavre, nous avions un Burke ni tout à fait mort ni tout à fait vivant. Qu'en faire, j'étais trop affolé pour y penser. Je reconnais que l'idée me traversa de régler la question en lui donnant un bon coup de la hachette posée sur le coffre à bois, mais je manquai de cran.

Puis soudain elle me désigna la fenêtre, et j'aperçus M. Landry qui sortait de la maison, fourrant des papiers dans sa poche. Mais au lieu d'entrer dans le magasin, il courut à celui de Schmidt, d'où nous parvint peu après un bruit de ferraille. Nous le vîmes traverser la cour, encombré d'une énorme caisse métallique, l'une de celles que j'avais vues en vitrine du magasin Schmidt. Après être entré, il laissa tomber son fardeau à grand bruit au pied de l'escalier, qu'il se mit à escalader. Il apparut par la trappe, le visage blême, les yeux étincelants d'un éclat sauvage, presque fanatique.

— Désolé d'avoir été si long, mais je n'arrivais pas à trouver le coffret dans lequel il rangeait ses papiers. Il était dans le piano ! Mais tout en cherchant, j'ai eu le temps de réfléchir à ce que nous allions faire de lui. Nous allons le fourrer dans une caisse que j'ai prise chez Friedrich Schmidt. Nous attacherons le couvercle, chargerons le tout sur un diable et irons le jeter dans la Red River, maintenant, en plein jour, personne ne s'inquiétera.

— Non, cria-t-elle, c'est impossible.

— Ma fille, nous ne pouvons pas dire comment il est mort !

— Mais il est vivant !

— Quoi ?

— Va voir par toi-même !

Il alla examiner Burke, écouta son souffle rauque, puis tomba assis devant la table.

— Les choses se compliquent, dit-il.

Son regard s'assombrit, perdit toute expression. Ses nerfs le lâchaient devant ce changement de danger imprévu. Puis il nous regarda :

— De toute façon, j'ai apporté la caisse, elle est en bas, dans le magasin. Quand il mourra, nous ne perdrons pas de temps.

Nous ne répliquâmes pas, mais il était clair, à l'expression de Mignon, qu'elle n'éprouvait nul enthousiasme à se trouver englobée dans ce « nous ». Au bout de quelques instants, il rassembla ses esprits et tira les papiers de sa poche, quelques actes notariés attachés par des rubans cachetés de cire, d'autres imprimés à l'en-tête de l'entrepôt Rachal, d'autres documents sur papier ministre remplis de colonnes de chiffres et de lettres. Il dit :

— Au moins, nous pouvons nous débarrasser de tout ça et respirer tranquillement...

Il se dirigea vers le fourneau, où des braises luisaient encore. Je le regardai soulever le couvercle, et criai soudain :

— Arrêtez !

Je lui arrachai la liasse des mains. Il me lança, d'un ton irrité :

— M. Cresap, c'est vous qui avez insisté pour que ces papiers soient détruits ! Tout est là, le faux reçu de la marine, avec la signature imitée sur le laissez-passer de Mignon. J'ai même trouvé son attirail de faussaire, le pupitre transparent et le miroir pour refléter la lumière... tout ça est accablant pour lui. Et qu'est-ce qui vous prend, tout d'un coup ? Vous ne voulez plus qu'on brûle ces papiers ?

— Imaginez qu'il ne meure pas ?

— Qu'il en réchappe ?

— Oui.

— Eh bien, à plus forte raison, il faut...

— Réfléchissez, M. Landry. Si ces papiers avaient été découverts lors d'une perquisition chez Burke, ils pouvaient vous faire pendre avec Mignon, comme mobiles au meurtre de Powell ; ils vous auraient impliqués. Mais c'est vous qui les avez trouvés, et si vous les présentez à qui de droit, ils prouveront votre bonne foi, votre innocence, non seulement dans le meurtre de Powell mais aussi pour ce qui vient de se passer. Quand je suis arrivé chez vous, avec les nouvelles concernant la fusillade de la nuit dernière, et ce que Ball m'avait appris auparavant à l'hôtel, vous avez commencé à avoir des soupçons, et quand Burke est venu, vous lui avez posé des questions embarrassantes. Pour toute réponse, il a tenté de vous tuer, et quand vous l'avez vu tirer son arme, vous l'avez assommé d'un coup de canne. Puis vous avez pris ses clefs et êtes allé fouiner chez lui. Vous pensez que cela explique tout, et ils le penseront aussi ! Cela expliquera aussi pourquoi nous n'avons pas appelé tout de suite un docteur. Quant à vous, il vous semblait plus urgent de trouver des preuves irréfutables, même si cela vous prenait un certain temps, que de vous occuper d'un bandit qui avait tenté de vous assassiner.

— Dieu soit loué ! Willie a trouvé la bonne explication !

— Bill, vous pourriez bien avoir raison.

Nous répétâmes cette version deux ou trois fois de façon à bien la mettre au point, particulièrement en ce qui concernait Pierre. Car, la nuit précédente, il m'avait semblé judicieux de ne pas le reconnaître, de sorte que personne ne puisse se demander si je l'avais déjà vu ou non, mais que M. Landry n'ait eu aucun soupçon quand je lui avais parlé de la fusillade pourrait sembler suspect. Nous décidâmes qu'il dirait avoir effectivement eu des soupçons, mais n'en avait rien dit, ayant l'intention d'en parler d'abord à Burke pour l'obliger à s'expliquer. De la sorte, il aurait l'air d'un homme scrupuleux ne voulant accuser personne sans preuves formelles. Tout cela semblait suffisamment solide, d'autant que Burke ne serait pas là pour contredire cette version des faits, car nous espérions bien que s'il ne mourait pas tout de suite dans la cuisine, il ne survivrait pas assez longtemps pour parler. Donc, les choses ainsi réglées, je dissimulai les documents à l'intérieur du piano à queue, puis allai dans la cuisine jeter un coup d'œil à Burke. Tout ce que nous venions d'élaborer s'écroula alors.

Burke reprenait connaissance.

Nous échangeâmes un regard consterné.

— Il revient à lui, murmura Mignon.

— Que faire ? grommela son père.

— Je ne sais que dire, fis-je.

Mon accablement fit place à la colère, et je flanquai un coup de pied dans les reins de Burke, qui émit un grognement étouffé. Puis il s'assit. Puis il se traîna jusqu'au mur, où il s'appuya et palpa son crâne tout en proférant un chapelet d'injures. Il me traita de sale type, de brute et de fils de garce. Il traita M. Landry de Judas. Il traita Mignon de sorcière, de souillon et de fille à matelots. Il invoqua la Sainte Mère de Dieu, lui disant quel brave homme il était, et énumérant tous ses actes de bonté du Nicaragua au Mexique et retour, de même que certaines bonnes actions dans sa lointaine Irlande. Il continua de la sorte jusqu'à ce que j'en eusse assez de l'écouter. Je lui flanquai un autre coup de pied. Il se tut, gémissant et haletant. C'est alors que j'entendis un ordre dans Second Street :

— Colonne, halte !

Je regardai par la fenêtre ; toute une troupe venait de s'arrêter devant la maison de Burke : Hager, Dan, Sandy, Ball, quatre ou cinq enseignes de vaisseau, quelques marins et un détachement de la Prévôté. Je m'entendis dire à Burke :

— Ecoute, putois. Ils ont identifié le cadavre de Pierre, et ils viennent te chercher. Ils vont venir ici, écoute bien ce que je te dis : nous avons tous les papiers, y compris ton faux reçu. M. Landry les a trouvés dans ton piano. Ça peut te faire pendre, tu le sais ?

— Où voulez-vous en venir, salopard ?

— Nous pouvons leur donner ce reçu, ça ne nous fera ni chaud ni froid.

— Eh bien, faites-le et allez au diable !

— Nous n'en ferons rien. Nous aimerions te voir pendu, mais cela risquerait de se retourner contre ces braves gens que tu as fourré dans le bain, et que tu enfonceras encore plus pour tenter de sauver ta carcasse. Alors nous ne leur donnerons rien, du moins pas maintenant. Pour classer cette affaire, pour tirer le rideau, pour taire la vérité, nous allons te laisser une chance. Tu vas leur parler, leur raconter ton histoire, et essaie qu'elle soit convaincante, sinon...

— Dites-lui ce qu'il devra dire ! lança M. Landry.

— Eh bien, que doit-il dire ?

— Nous... il faut que nous trouvions quelque chose, et vite !

— Je suis complètement à court d'idées, j'ai la tête vide... Et d'ailleurs comment voulez-vous apprendre à mentir à un menteur ?

— **Ils arrivent !**

La voix de Mignon tremblait. Je regardai au-dehors, et ils s'approchaient, en colonne par deux, Dan et Hagger en tête.

XXI

MAIS personne ne vint frapper, et ce ne fut que lorsque des coups retentirent de l'autre côté du mur que je me rappelai avoir ordonné à Burke en présence de la sentinelle de se présenter chez moi dans la matinée. Je sortis donc et allai répondre. Hager se trouvait sur ma terrasse avec Dan, Ball et Sandy, frappant pour se faire ouvrir, le reste de la troupe attendant dans l'allée. Quand ils me dirent qu'ils cherchaient Burke, je leur dis où il était, chez Landry. Dan me dit bonjour, et ajouta qu'il avait été délégué par l'état-major comme observateur, au sujet de cet échange de coups de feu, quelle qu'en soit l'importance. Je lui répliquai qu'un homme mort, tué par moi de surcroît, m'importait énormément et que je lui donnerais tous les éclaircissements possibles. Puis je leur montrai le chemin, et Mignon ouvrit sa porte. Je lui présentai Hager et Ball, ajoutant :

— Vous connaissez déjà le capitaine Dan Dorsey et aussi, je crois, le lieutenant Gregg.

Sandy tressaillit en la voyant, mais se contenta de lui serrer la main en l'appelant Mme Fournet. Puis Burke apparut derrière elle, mais se déroba dès que Hager lui dit qu'on avait besoin de lui au tribunal pour l'interroger.

— Je ne me sens pas très bien, je suis hors d'état de marcher.

— Qu'est-ce qui vous en empêche ? s'enquit Hager.

— Le coup que j'ai reçu sur la tête.

Désignant sa bosse, il expliqua :

150

— J'étais à la recherche de mon gippo, et je me suis cogné dans le marché, à l'auvent d'un étalage.

— C'est au sujet de votre gippo que nous sommes venus.

— Je m'en suis bien douté, capitaine.

— Il est mort.

— Oh !

Adolphe Landry apparut à son tour, et pria tout le monde d'entrer. Les enseignes et les militaires restèrent en faction dehors, tandis que Hager, Dan, Ball et Sandy entraient. Hager s'empara du canapé du salon, où il prit une attitude de magistrat, Mignon, Dan, Ball et Burke occupant les chaises, Adolphe, Sandy et moi restâmes debout, adossés aux bibliothèques. Heger entra aussitôt dans le vif du sujet :

— M. Burke, un homme a été tué la nuit dernière dans l'appartement voisin, par M. Cresap ici présent. Nous l'avons identifié comme étant Pierre Legrand, votre domestique ou, ainsi que vous l'appelez, votre gippo. Que savez-vous de cette affaire ?

— Absolument rien, capitaine.

— Saviez-vous qu'il avait tenté de tuer Cresap ?

— C'est Cresap qui me l'a appris.

— Que votre homme lui avait tiré dessus ?

— Que quelqu'un l'avait fait, il ne savait pas qui, je l'ai remarqué.

Cette réponse expliquait, d'une façon que je fus forcé d'admirer, le fait que je n'aie pas identifié Pierre. Mais je crus bon de préciser que je n'avais aperçu Pierre qu'une seule fois, à la Nouvelle-Orléans, et aurais été incapable de le reconnaître. Burke demanda :

— Puis-je vous demander qui l'a identifié ?

Hager le lui dit :

— Deux cantiniers et un marmiton de l'Ice House Hotel.

Burke secoua la tête :

— Ça explique tout. Pierre y allait toujours chercher nos repas.

Hager lui demanda à brûle-pourpoint :

— Avez-vous ordonné à cet homme de tuer Cresap ?

— Dieu m'en préserve ! Pourquoi l'aurais-je fait ?

— L'avez-vous chargé de tuer Powell ?

— Mais non ! Vous croyez qu'il a tué Powell ?

— **Nous en sommes certains !**

Hager, raide comme la justice, marcha jusqu'au piano, près duquel Burke était assis, et le regarda de toute sa hauteur. Mais Burke n'en fut guère impressionné.

— Je vous dirai que ça ne m'étonne qu'à moitié, fit-il du ton de la conversation mondaine.

— Et pourquoi ? demanda Hager, pris à contre-pied.

— A cause de la rancune qui existait entre eux.

— De la rancune ? Entre Powell et ce... cet homme ?

— Je n'aime guère votre ton, grommela Burke. Il semble impliquer, capitaine, qu'entre un homme de qualité comme Powell et un nabot tel que Pierre, nulle rancune ne pouvait exister, car l'officier ne daigne et le maraud n'ose ! Eh bien, sachez que le gentleman a daigné, de la façon la plus vulgaire, et que l'inférieur a osé, et d'une manière que vous-même pourriez respecter. Il avait sa fierté, c'était un homme, après tout.

— Quand cela a-t-il eu lieu, Burke ?

— L'été dernier. Au mois de juin.

— Et où cela ?

— A Bagdad, au Mexique.

Hager, dont la première réaction avait été de se jeter sur Burke, se trouvait remis à sa place assez durement, et pour cacher sa surprise, mima le dégoût le plus profond. Regagnant le canapé, il dit d'un ton condescendant :

— Revenons-en à Cresap.

— Je n'en ai pas terminé, fit Burke.

A son tour il se leva, de façon à regarder Hager de son haut. Il parla d'une voix tranquille :

— Pierre avait trouvé du travail à l'hôtel du Globe, à Bagdad, après avoir été débarqué du *Berthollet*. Il servait au bar. C'est là que venait Powell, tous les soirs. A l'époque, il était sur l'*Ithasca*, une goélette à vapeur qui participait au blocus ; il descendait à terre chaque soir pour surveiller les chargements de coton, mais surtout pour boire. Il se saoulait, cherchait la bagarre, et s'en prenait toujours à Pierre. Il le tournait en ridicule, le provoquait, l'insultait, le harcelait. C'en est arrivé au point que, pour éviter l'irréparable, j'ai tiré Pierre de là et l'ai emmené avec moi à Matamoros par *diligencia*. Par la suite, je me suis pris de sympathie pour lui et je l'ai engagé comme boy, comme domestique, comme gippo !

Sa voix s'était enflée peu à peu. Il se tourna soudain vers Ball :

— Qu'en pensez-vous, lieutenant ? N'est-ce pas la vérité, toute la vérité ?

— Je n'ai jamais mis les pieds au Mexique.

— Mais vous êtes allé à l'Ice House Hotel, vous accompagniez Powell dans sa mission. Comment se conduisait-il dans ce bar ?

— Avec une parfaite dignité, monsieur.

— Dans ce cas, il avait beaucoup changé.

Démêler le vrai du faux dans tout cela était difficile. Mais vérité ou mensonge, cela éloignait Burke de tout motif de vouloir tuer Powell, et quel que fut mon dégoût pour lui, je ne pouvais que lui donner raison. Il sentit qu'il avait repris l'avantage, et poursuivit :

— En d'autres termes, capitaine...

— Laissez tomber les autres termes, coupa Hager. Revenons-en à vous. Sachant ce que vous saviez, pourquoi avez-vous gardé le silence quand vous avez appris l'assassinat du lieutenant Powell ?

— Moi ? Dénoncer mon propre gippo ?

— Si vous saviez qu'il avait commis un crime...

— Capitaine ! Je n'en savais rien !

— N'ergotez pas ! Vous connaissiez sa rancune !

— Des rancunes, j'en connais des milliers contre Powell !

— Que voulez-vous dire au juste ?

— La vôtre, entre autres.

— Ma rancune, Burke ? **Ma rancune ?**

— Aye. Vous lui en vouliez ! Comme tous les membres de cette armée, vous en voulez à mort à l'escadre de la Marine des Etats-Unis qui vous a soufflé le coton sous le nez la semaine dernière ! Vous haïssez tous les marins, alors vous seriez mal venu de me reprocher mon silence sur un sujet dans lequel vous êtes tous impliqués — sauf les marins, bien sûr ! **Qui n'avait pas de rancune contre Powell ?** Citez-moi un seul soldat, et je lui expliquerai pourquoi je me suis tu !

Un silence gluant s'écoula, et il fallut un grand moment avant que Hager ne reprenne la parole :

— Pourquoi cet homme aurait-il tenté de tuer Cresap ?

— Je n'en sais rien, il ne m'a jamais fait part de ses projets.

— Vous n'avez aucune hypothèse à formuler ?

— Demandez ça à Cresap.

— Nous l'avons fait. Il n'a pas su répondre. Maintenant, c'est à vous que je pose la question.

— Et pourquoi n'aurait-il pas voulu tuer Cresap ? Un homme qui l'a noirci, déshonoré, qui lui a joué un tour abominable le mois dernier à la Nouvelle-Orléans ! Qui a essayé de faire croire que ce garçon avait déserté son poste dans mon appartement du City Hotel, soi-disant pour fouiller chez moi et y découvrir les prétendues preuves que j'avais trahi mon ami, mon mentor et mon associé, que vous avez sous les yeux en ce moment même ! Oui, Adolphe Landry en personne, et qui peut me faire rentrer le mensonge dans la gorge si je m'éloigne si peu que ce soit de la pure vérité ! Car en réalité, c'était ce même Cresap, cet innocent jeune homme, qui avait falsifié des documents dans le but de me discréditer et de s'enrichir par la même occasion !

Se tournant vers moi, il m'adressa un sourire ironique, et je sus ce qui m'attendrait si, d'une façon ou d'une autre, on découvrait le faux reçu : il me serait attribué ! Il s'adressa de nouveau à Hager, d'un ton patelin :

— Pierre était simple, fruste et inculte, et sans nul doute enclin à la violence, comme le sont les gens de son espèce. Mais il avait le sens du devoir et **n'a jamais déserté son poste** ! Peut-être a-t-il ressassé sa rancœur quand il a vu dans quel état d'esprit je suis rentré hier soir.

— Dans quel état d'esprit — pour peu que vous en ayez — étiez-vous donc ?

Hager se montrait sarcastique, mais il ne posa pas de questions sur la nouvelle-Orléans, ce qui me donna à penser qu'il savait ce qui s'était passé là-bas. Burke répliqua :

— J'étais outré par ses exigences.

— Les exigences de Cresap ?

— Oui, au sujet de ses honoraires.

— Quels honoraires ?

— Je lui avais promis deux cent cinquante dollars s'il réussissait à faire libérer Adolphe.

— Eh bien, il y est arrivé, n'est-ce pas ?

— Aye, mais regardez ce qu'il m'a fait ! J'ai été accusé injustement, de sorte que j'ai passé une nuit en prison, comme un voleur, dans une cellule puante ! J'ai refusé de lui donner un centime, et hier soir, il a recommencé à m'ennuyer ! Le lieutenant Ball pourra témoigner qu'il m'a pris à part, à l'hôtel pour demander son argent, et votre sentinelle pourra corroborer qu'il m'a ordonné, en pleine rue, de me présenter chez lui ce matin, quelles que soient les conséquences ! Il a proféré des menaces contre moi.

— Lesquelles ?

— Il a mis en doute l'authenticité de mon passeport, capitaine !

Tout concordait, on ne pouvait soupçonner aucune collusion entre nous, et cela dissimulait les motivations réelles. C'était un chef-d'œuvre de mensonge, et je repris le flambeau :

— Je doutais, et je doute encore, que cet individu ait une autorisation légale de se trouver ici. Il est arrivé pendant que l'armée Rebelle tenait encore la place, et un permis Rebelle n'est plus valide sous le commandement de l'Union. Toutefois, ce n'est pas à moi d'en décider. Quant à tout ce qu'il a dit, son invraisemblable panégyrique des vertus du noble Pierre, c'était pour noyer le poisson. Maintenant que je sais qui j'ai tué, j'admets qu'il avait des raisons de me détester.

— Montrez-nous vos papiers, Burke.

Il les tira de son vieux portefeuille gonflé — des lettres d'importants Rebelles de la Nouvelle-Orléans qui lui avaient servi à franchir les lignes Confédérées à Teche Bayou ; des papiers concernant Pierre, dont sa feuille de démobilisation de la marine française, puis un permis des douanes des Etats-Unis pour l'importation du coton comprenant le libre accès à ses possessions et expliquant sa présence à Alexandrie. Pendant que Hager prenait connaissance de tout ce fatras, plusieurs petites choses se produisirent. Ball, qui avait réagi au « noble Pierre » m'adressa un clin d'œil. Puis Sandy me chuchota à l'oreille :

— Cette mignonne Mignon, tu en pinces pour elle ?

— Le mot est vulgaire mais juste.

— J'aurais bien voulu la fourrer dans mon lit.

— J'espère l'épouser.

— Oh ! Je retire tout ce que je viens de dire !

Il ajouta, très vite :

— Tu as vu Ball ? Il t'a à la bonne ! Tu es toujours bien en cour.

— Et après ?

— Tu peux encore avoir ton reçu !

— Pour quoi ?

— Pour ton coton, crétin !

— Mais je n'ai pas de coton.

— Bon Dieu, trouves-en !

Ensuite, Hager, Ball et Dan se concertèrent à voix basse, et je vis Dan hausser les épaules. Puis Hager rendit ses papiers à Burke. C'était fini, les officiers s'en allèrent après avoir salué Mignon et remercié M. Landry de sa complaisance. Nous nous retrouvâmes, M. Landry, Burke, Mignon et moi, tâchant de reprendre notre calme.

— Frank, dit M. Landry, je n'oublierai jamais ce que vous venez de faire dans le domaine, pourrait-on dire, du mensonge pieux. Et j'espère ne jamais oublier pour quelle abominable raison vous l'avez fait !

— Cette abominable raison, fis-je, était que, le sachant malhonnête, vous vous êtes associé avec lui quand même, tout ça pour de l'argent ! Et vous avez tort de faire le dégoûté, il pue et vous puez autant que lui !

— Willie, éclata Mignon, vous allez trop loin !

— Aller trop loin, c'est changer d'air !

— Et l'air pur, c'est ce qui manque le plus ici, graillonna Burke. C'est vous qui avez eu cette idée, après tout. Vous ne sentez pas meilleur que nous !

— Peut-être, concédai-je.

— Et d'une façon particulièrement méphitique !

— Bon Dieu, je l'ai bien cherché !

J'allais perdre mon sang-froid. Pour ne pas exploser, je bondis au-dehors et claquai la porte derrière moi.

XXII

J'ETAIS si tendu qu'une fois chez moi, je m'allongeai un long moment et réfléchis. Midi approchant, je décidai d'aller déjeuner à l'hôtel, mais on frappa à la porte ; j'allai ouvrir et elle entra avec, sur un plateau, du jambon, une galette de maïs et des lentilles, le tout tenu au chaud par une serviette, ainsi qu'un broc de café brûlant. Elle servit cette dînette dans la salle à manger, utilisant la vaisselle des Schmidt, et tout en mangeant nous parlâmes, principalement de Burke, qui avait l'intention de partir dès qu'il se sentirait mieux, pour aller chercher du coton sur la Sabine. Elle me dit qu'elle lui avait donné une lettre d'introduction adressée aux gens de là-bas, et que son père lui en avait également remis une pour Kirby Smith, le commandant en chef des Rebelles, car, bien sûr, cette région était encore au-delà de la ligne de démarcation. Elle se mit à bavarder de choses et d'autres, comme si rien ne s'était passé, si bien que je finis par me demander si je n'avais pas rêvé tous ces événements dramatiques. Elle me força à manger jusqu'à la dernière miette, de sorte qu'elle put laver la vaisselle à l'eau froide, puis l'ayant rangée, elle passa dans le couloir, mais au lieu de s'en aller, entra dans le salon où elle se mit à faire les cent pas tandis que je m'asseyais confortablement. Je lui répétai à quel point sa robe de guingan lui allait bien.

— J'aime le rouge, dit-elle, et je crois que le rouge me va bien. C'est ma couleur, en quelque sorte.

Puis :

— Qu'est-ce que Sandy vous a dit ?

— Eh bien, il voulait savoir si j'étais amoureux de vous. Il m'a avoué en passant qu'il aurait bien aimé coucher avec vous.

— C'est qu'il a essayé ! Il ne s'en est pas vanté !

— Non, et vous non plus.

— Oh, c'est arrivé dans une cabine d'essayage chez Lavadeau. Il a commencé à me tourner autour, mais les choses ne sont pas allées très loin !

— Jusqu'où exactement ?

— ... Qu'est-ce qu'il vous a dit d'autre ?

— Mais... rien de particulier.

— Il avait l'air de vous faire des reproches. Pourquoi ?

— Je ne m'en souviens pas.

— Ça concernait le coton, n'est-ce pas ? Et la façon dont vous pouviez obtenir un reçu, parce que vous avez abattu l'assassin de Powell... C'était bien cela, n'est-ce pas ?

— Oui, là ! Seulement, du coton, je n'en ai pas.

— Nous, nous en avons.

— Qui, « nous » ?

— Mon père et moi, Willie.

— Est-ce que c'est M. Landry qui vous a envoyée me parler ?

— Je vous jure que non ; il est allé chez Frank pour l'aider à faire ses bagages. Il tient à ce qu'il parte le plus vite possible. Et Burke est convaincu, maintenant qu'il n'a plus ses faux papiers, que la seule chose qui lui reste, c'est le coton de la Sabine. Il ignore que vous pouvez obtenir un reçu grâce à la marine. Alors tout ce qu'il nous reste à faire, c'est de déchirer les contrats à son nom et d'en établir de nouveaux au nom de Willie Cresap ! Le tour est joué, et voilà cent vingt mille dollars pour nous !

— Mignon, je ne veux plus entendre parler de ce coton !

— Je pensais la même chose que vous, je vous l'ai dit !

— Alors, qu'est-ce qui vous a fait changer d'avis ?

— C'est vous. Tant que Frank était dans l'affaire, je mourais de peur. Je me méfiais de lui comme de la peste. Mais je sais que vous, Willie, êtes un honnête homme.

— Dan dit toujours qu'il y a une malédiction sur ce coton.

— La seule malédiction, c'était cet escroc !

— Appelez ça comme vous voudrez, je ne veux plus m'occuper de coton !

— Et vos vingt-cinq mille dollars ?

— C'est à ce sujet que Sandy s'inquiétait.

— Vous en avez toujours besoin, Willie.

— Mais je ne veux pas les obtenir de cette façon, c'est tout !

— Vous préférez qu'elle vous les donne ?

Jusque-là, elle était restée sur mes genoux. Elle bondit soudain sur ses pieds, me foudroya du regard, disparut dans la salle à manger d'où elle ressortit avec son plateau dans une main et le petit broc d'argent dans l'autre. Comme elle se ruait vers le palier, je lui barrai le passage ; elle voulut me frapper, le broc lui échappa et alla bruyamment rebondir sur le sol. Pour éviter la casse, je lui ôtai le plateau, puis la saisis par le poignet et la traînai dans la chambre, où je la jetai sur le lit.

— Calmez-vous, à la fin ! A quoi ça rime, de s'emballer ?

— Elle peut vous donner des tas de choses, en plus de l'argent !

— Elle ne m'a rien donné jusqu'ici.

— Eh bien, vous avez raté quelque chose, c'est tout ce que je peux vous dire ! Mais elle ne demande que ça, vous pouvez en être sûr !

— C'est tout le contraire qui s'est produit.

— Vous vouliez... et elle a refusé ?

— Exactement.

— Et pourquoi cette pudeur soudaine ?

— A cause d'une odeur de Cuir de Russie.

Mes paroles avaient l'accent de la vérité et je vis, au brusque battement de ses paupières, qu'elle me croyait. Elle fixa les yeux au plafond, et sa bouche se mit à trembler. Je suis certain que, de toutes les choses qui lui étaient arrivées ce jour-là, cette simple petite phrase était de loin la plus importante. Elle resta étendue, essayant de ne pas pleurer, les vêtements en désordre, la robe et le jupon haut relevés découvrant ses jambes superbes au-delà des jarretières. Posant le plateau sur le sol, je vins tout contre elle. Je détachai un à un rubans et boutons, sans qu'elle fît rien pour m'aider ni pour m'en empêcher, et très vite elle fut entièrement nue. C'est alors qu'elle murmura :

— Me revoilà dans ma tenue favorite.

— Celle qui vous va le mieux.

— Willie, n'essayez pas de détourner la conversation.

— Ce serait inutile. Burke ne me l'a pas envoyé dire, je suis dans le bain, que je le veuille ou non, alors autant y trouver mon bénéfice. Il faudra longtemps pour établir ces contrats ?

— Plus d'un jour ou deux.

— D'ici là, l'*Eastport* sera parti avec les dernières troupes, destination Shereveport...

— Non, Willie, un bateau de cette taille ne peut pas remonter les rapides facilement, il doit être remorqué. Ils ont déjà perdu le *Woodford* en voulant aller trop vite. Maintenant, il est par le fond à l'embouchure des rapides, avec un trou dans la coque. Ce bateau-ci mettra plusieurs jours, et nous ferons nos écritures entre-temps, j'y mettrai la main. Le plus long, c'est le marquage des balles. Le coton n'est pas comme le blé, où un boisseau ressemble à un autre. Avec le coton, chaque balle a son identité, doit être enregistrée avec sa marque, son numéro et son poids. Cette liste doit figurer sur tous les documents. Nous commencerons par rédiger les actes, celui par lequel mon père vous transfère son coton et qui prouvera à la marine que le coton vous appartient légalement. Cela pourra être prêt demain pour l'enregistrement au palais de justice. Ensuite, nous préparerons le reçu que vous devriez pouvoir déposer à l'amirauté dimanche. Enfin les contrats d'association, qui sont moins urgents. Vous êtes toujours d'accord, Willie ?

— Si votre père est d'accord, moi aussi.

— Embrassez-moi, gentiment.

Si je m'étais attendu à voir M. Landry sauter de joie et me serrer sur son cœur, je me serais trompé. Il m'en voulait pour l'avoir traité de fripouille, et tint à se justifier au sujet de ses relations avec Burke.

— Je ne suis coupable de rien. Personne n'est coupable, sinon l'Union et cet enfer qu'elle a déchaîné sur nous ! **La guerre est finie en Louisiane...** mais nous ont-ils apporté la paix ? Non ! Ils continuent à nous écraser avec cette demi-guerre qu'ils apportent avec eux, et qui est encore pire que le personnage de Vie-en-Mort de la *Ballade du vieux marin* ! Tout ce que j'ai fait, c'est pour aider d'autres hommes à survivre, je n'ai pas à m'en excuser, et personne n'a le droit de me le reprocher ! D'accord, Frank est une canaille — j'ai été le premier à le dire, j'ai même essayé de le tuer ! Mais c'est moi qui me suis servi de lui, et non lui de moi ! Et j'avais de bonnes raisons. C'était la seule façon pour moi de tourner la loi des envahisseurs, de leur prendre de l'argent, de les faire payer pour tout ce qu'ils m'ont fait et tout ce qu'ils ont fait subir aux miens ! Car j'ai toujours eu l'intention de partager mes profits avec les gens d'ici, ceux de mon peuple, qui ont tant souffert !

— Permettez-moi d'être sceptique.

— J'ai déjà partagé avec eux :

— Oui, oui, les souliers, je sais.

J'avais caressé l'espoir, en l'insultant de la sorte bien qu'il m'ait sauvé la vie, de l'obliger à me refuser comme associé.

— Si vous voulez que je me retire de l'affaire, vous n'avez qu'à le dire.

— Je n'ai pas dit cela, M. Cresap. Je tenais simplement, avant

160

toute chose, à vous donner l'assurance que vous ne vous acoquinez pas avec une fripouille.

— D'accord, vous n'êtes pas une fripouille.

— Vous pouvez vous serrer la main, dit Mignon.

En bas, on avait séparé un coin du magasin par une cloison. Dans ce réduit se trouvaient un vaste bureau, un coffre-fort et des étagères couvertes de registres. Landry s'y enferma toute la journée et une partie de la nuit à la lueur des bougies, mettant au point les actes de vente, les faisant coïncider avec les marques des papiers que j'avais cachés dans le piano. Le lendemain, je l'accompagnai au palais de justice, où nous allâmes les faire enregistrer par le greffier du tribunal, dont le bureau jouxtait celui de Hager. Puis, avec l'aide de Mignon qui lui dictait les données, il établit le reçu de la marine, que j'apportai à Sandy le lendemain. Je le trouvai sur son bateau, qui, à l'occasion des fêtes de Pâques, déblayait le fleuve à l'endroit où il devenait un rapide long d'environ un mille en amont de la ville. Aucun bateau ne pouvait s'y frayer passage, sinon un mouille-cul comme l'*Eastport*. Tout autour, sur la rive, avec des cordages et des aussières, l'on tirait, halait et poussait. Une corde attachée au tronc d'un arbre était reliée au cabestan du bord. On lançait un ordre, on envoyait la vapeur, et la roue se mettait à tourner à grand bruit, ses aubes faisant jaillir des gerbes d'eau. Puis tout se bloquait, et l'on stoppait les machines avant de recommencer un peu plus tard. Ce spectacle manquait d'attrait, le bateau étant blindé de plaques de fer rouillé, déchiqueté et bosselé, mais pour un spécialiste comme moi, l'opération était passionnante, et je m'y intéressai un moment avant d'agiter mon papier à l'intention de Sandy, qui commandait la manœuvre du rivage, non loin de l'arbre. Il me renvoya mon signe, mais il dut attendre le coup de sifflet marquant une pause pour venir me rejoindre. Il lut attentivement le reçu, tandis qu'un cuistot servait du café à la ronde dans des quarts. Il finit par demander :

— Landry ? C'est celui que je connais ? Le père de Mme Fournet, chez qui nous avons interrogé Burke ?

— C'est bien lui. Il ne voulait pas qu'on sache qu'il possédait ce coton. Il ne me l'a dit que lorsque je lui ai rapporté ma conversation avec toi. Il avait dit adieu à son coton quand la marine l'a saisi, mais quand il a appris que je pouvais obtenir un reçu, où que j'avais une chance d'en avoir un, il m'a montré ceci.

Je pris une moitié de mon billet de cinquante dollars, puis sortis l'autre moitié et les assemblai. Ses yeux papillotèrent.

— Bill, je dois reconnaître que trois cent vingt-sept balles, c'est beaucoup plus que ce que j'avais annoncé. Je ne te croyais pas capable d'en acheter plus... disons d'une centaine... mais autant...

— Nous sommes pour moitié dans l'opération, Landry et moi.

— Et l'argent ? Tu veux dire qu'il n'a pas demandé d'argent tout de suite ?

— Il me fait crédit, voilà tout.

— Il faut que je vois le lieutenant Ball.

Il héla le bateau, et Ball émergea d'un sabord, en tricot de corps, pantalon de velours et chapeau de paille. Il se fit amener à terre par un youyou. Lui aussi sifflota en voyant le nombre de balles.

— Regardez-moi ça : « 327 balles portant les marques suivantes **et aucune autre.** » Ce reçu sera valable devant le tribunal, car il annule le pochoir ECA ! Qui peut bien avoir le culot de nous apporter ce papier ?

— L'homme qui a tué Pierre Legrand, répliqua Sandy en me désignant.

— Ça n'est pas inscrit sur le papier, aboya Ball. Tout ce que je connais, ce sont mes ordres ! Et mes ordres sont de donner un reçu pour le coton loyal, et jusqu'ici nous n'en avons jamais trouvé. Mais si vous m'affirmez que Cresap est loyal...

— Ma feuille de démobilisation vous le prouvera, dis-je.

— Et si ce coton a été légitimement acquis...

— J'ai un acte de vente en bonne et due forme.

Je lui remis tous les papiers légalisés par le greffe du tribunal, mon billet déchiré, que sais-je encore. Il les emporta sur le bateau. Puis un marin à ceinturon descendit à terre, porteur d'un sac de toile cirée ; je l'identifiai comme le messager chargé d'emporter mes documents jusqu'au vaisseau-amiral. Il disparut à travers bois, et j'attendis environ une heure, observant le travail qui avait repris. Puis l'estafette revint et remonta à bord. Puis Ball vint me rejoindre avec le youyou, le paquet à la main. Il me le tendit :

— Voilà, Cresap. Tout a été signé. La marine renonce à un gros paquet d'argent, mais les ordres sont les ordres, même quand ils sont pénibles.

— Je remercie la marine. Et je vous remercie.

— Vous pouvez, c'est de l'or en barre.

— Bonne chance, Bill, me souffla Sandy en me serrant la main, cherchant à dissimuler son excitation à Ball.

Ce soir-là, à la lueur des bougies, nous fêtâmes notre chance, Mignon, M. Landry et moi, en buvant un punch. Mignon était calme, rêveuse ; elle tenait à parler, voulait faire un nouveau départ dans la vie. Son père m'affirma :

— Comprenez bien qu'il n'y a pas que l'argent, monsieur. Il y a vous, tout ce que vous représentez pour Mignon, et — si j'ose me permettre — pour moi-même. J'ai été très inquiet à votre sujet, de ce que Frank pouvait faire pour se venger. Mais maintenant qu'il est parti pour l'ouest, et que vous allez bientôt partir pour Springfield, je vais enfin pouvoir dormir la nuit.

— Quand est-il parti ?

— Ce matin. A pied. Parfois, c'est le moyen de locomotion le plus rapide. Je lui ai rendu son revolver, car il a beaucoup d'argent sur lui.

— Est-il indispensable de parler encore de cet homme ? demanda Mignon.

— Nous pouvons oublier son existence, c'est ce que j'essayais de dire.

— Eh bien, oublions.

XXIII

AINSI débutèrent trois étranges semaines que nous passâmes sans rien faire, à attendre un bateau. Tout d'abord, j'allais chaque matin au palais de justice voir Hager ; il nous avait promis un laissez-passer pour nous trois sitôt que la navigation reprendrait sur le fleuve. Puis Mignon me remplaça, Dan m'ayant conseillé de ne plus me montrer dans les rues. Tous les marchands devaient être renvoyés sous bonne garde à la Nouvelle-Orléans sur l'*Empire Parish*. Si j'étais attrapé, je serais exilé aussi. C'était une étrange récompense pour ces hommes qu'on avait considérés comme les sauveurs du pays, mais vu la façon dont les choses avaient tourné, ces sauveurs n'étaient plus que des gêneurs. Mignon venait m'apporter mon petit déjeuner tous les matins, puis m'aidait à m'habiller, ce qui prenait toujours un grand moment et s'agrémentait de baisers et de caresses. Puis nous rapportions ensemble le plateau chez elle en traversant la cour, et elle préparait le repas de midi. Ensuite, nous passions tous trois l'après-midi et la soirée dans le salon, au milieu des livres.

Il m'arrivait de raconter des histoires drôles quand je m'en souvenais. Elle dépensait par avance sa future fortune : une belle maison à la Nouvelle-Orléans ; un mobilier d'acajou, de l'argenterie et des verres de cristal taillé pour notre salle à manger ; une calèche avec des chevaux gris pommelés ; des toilettes — mais ceci l'intéressait assez peu. Son père allait d'un livre à l'autre, parlant intarissablement de littérature, surtout de Casanova qu'il considérait comme le plus grand génie littéraire du dix-huitième siècle :

— Il est le père d'une longue lignée de héros, encore plus nombreux que ses enfants illégitimes : d'Artagnan, Jean Valjean et tant d'autres...

Puis il demandait à Mignon de jouer *Don Juan* qui, selon lui, était un déguisement de Casanova :

— Le librettiste le connaissait bien, tous ses traits lui correspondent, et non au Don Juan de Séville.

Je finis par m'intéresser au sujet et ouvris un jour le premier tome des *Mémoires* pour en avoir un aperçu. Mais c'était en français et je n'y compris pas grand-chose. Tout cela m'étonnait beaucoup. Je connaissais Casanova de réputation, mais j'ignorais qu'il eût écrit quoi que ce soit. Ma lecture ne m'avança guère, mais je trouvai le sujet éducatif et écoutai avec plaisir les exposés de M. Landry.

Et pendant que nous parlions et parlions et buvions notre punch vespéral, l'armée d'invasion remontait le fleuve, la quasi-totalité des effectifs terrestres ou maritimes, si bien qu'il ne resta plus dans la ville déserte que quelques bateaux de commerce, la garde et l'état-major. Les choses s'étaient calmées, et l'on avait l'impression qu'elles retournaient à la normale. Les abeilles bourdonnaient, les fleurs s'ouvraient, un parfum printanier embaumait et les citadins osèrent s'aventurer au-dehors — ceux du moins qui n'avaient pas déguerpi devant l'invasion. Quand l'*Empire Parish* eut levé l'ancre, je me risquai à mon tour dans les rues pour aller redemander mon laissez-passer. Le capitaine Hager me salua et me dit :

— Ce n'est plus qu'une question de jours, les lignes régulières vont reprendre aussitôt que nous serons à Shreveport.

Je me hâtai de rapporter cette bonne nouvelle, que nous célébrâmes ce soir-là avec un punch supplémentaire.

Un beau matin, alors que nous montions l'escalier, rapportant mon plateau de petit déjeuner, la porte s'ouvrit devant nous, encadrant son père qui arborait une expression solennelle. Tout d'abord, je pensai que les visites quotidiennes de Mignon chez moi en étaient la cause, et je me préparai à argumenter : elle était adulte, nous avions l'intention de nous marier, et si elle venait me voir, cela ne le regardait pas. Mais je me trompais. Il nous conduisit au salon. Là, empilés sur le sol, il y avait un sac à dos, une couverture roulée, un manteau et un chapeau. Mignon lui demanda :

— Tu pars en voyage ? Nos laissez-passer sont arrivés ? C'est ça ?

— Assieds-toi, ma chérie. Vous aussi, M. Cresap.

Il affectait un calme solennel, et attendit que nous fussions installés pour expliquer :

— Je vais rejoindre l'armée Rebelle. Taylor savait ce qu'il faisait.

— Admettons, mais qu'a-t-il fait au juste ?

— Il a vaincu, voilà ce qu'il a fait !

— Vaincu ? Mais qui donc ?

— L'armée de l'Union ! **La guerre continue en Louisiane !**

— Ce n'est pas une raison pour crier si fort.

— Ma fille ! Rien n'est perdu pour nous.

— Dis-moi au moins ce qui s'est passé !

— Il les a écrasés dans la forêt qui entoure Mansfield, il a taillé en pièces toute l'armée du Golfe ! Un carnage, une boucherie, une débandade ! Deux de ses éclaireurs ont traversé les lignes, ils sont à l'hôtel en ce moment. Ils n'ont jamais rien vu de semblable ! L'impossible s'est produit, et ce n'est qu'un début ! Ils font la course en ce moment, lui et l'armée de L'Union, pour reprendre Alexandrie ! Il a déjà pris position tout autour de la ville, il ne laissera pas passer un seul homme, et je veux participer à la victoire ! Dieu me pardonne, je n'ai que trop attendu, j'étais convaincu de notre défaite, mais mieux veut tard que jamais, et je suis encore capable de les aider ! Je pars séance tenante les rejoindre !

Il continua à discourir, se reprochant d'avoir douté de Taylor, puis s'adressa à sa fille d'un ton emphatique :

— Mignon, après mon départ, n'oublie pas que tu dois faire quelque chose, toi aussi, en tant que Rebelle, que loyale Confédérée, c'est ton devoir ! Tu...

— Je ferai l'impossible, bien sûr.

— Ma fille, cela ne suffit pas.

— Comment pourrais-je faire plus que l'impossible !

— Les bonnes intentions ne suffisent pas, il faut agir.

— Parle pour toi.

— Ne t'inquiète pas, je suis déterminé.

Il jeta le sac à dos sur son épaule, puis agita la main dans ma direction avec un sourire mondain, marmonnant quelque chose comme « désolé que nous soyons devenus des ennemis » mais je le clouai sur place :

— Asseyez-vous, M. Landry. Le sujet est loin d'être épuisé. Vous ne m'avez pas inclus dans vos projets, mais j'en fais partie de toute façon.

166

— Je ne vous comprends pas très bien, monsieur.

— Que devient notre coton ?

— Je présume que vous êtes un homme d'honneur...

— Vous présumez, M. Landry, que vous pouvez aller tout tranquillement vous rallier à Taylor maintenant qu'il est vainqueur et que je vais vous laisser faire ? Vous oubliez qu'un Rebelle qui prend les armes contre son propre pays est dépossédé de tous ses droits légaux ! Vous allez vous remettre dans la même situation qu'à la Nouvelle-Orléans, quand Burke vous a dénoncé.

— Voudriez-vous m'empêcher de faire mon devoir ?

— Pas tout à fait, mais vous avez la mémoire courte.

— Qu'insinuez-vous encore ?

— Vous avez oublié votre soumission à l'Union !

— Elle m'a été arrachée par contrainte. Je n'ai pas prêté serment, d'ailleurs.

— Mais vous avez accepté d'être remis en liberté.

— Je suis né libre !

— Vous avez été déclaré libre quand je me suis porté garant de votre loyauté. **Alors, vous allez continuer à être loyal !** Posez votre sac, M. Landry, vous n'en aurez pas besoin. Vous restez ici.

— Je pars, et je dois vous avertir que je suis armé.

— Je ne suis pas aveugle, j'ai très bien vu la bosse dans votre poche. Moi-même, je n'ai pas jugé bon de prendre mon Moore & Pond, mais si vous quittez cette maison, je vous suivrai dans la rue, j'appellerai une patrouille, je vous ferai arrêter et condamner pour espionnage !

— Dans ce cas, mon départ suivra le vôtre.

— Vous me chassez de cette maison ?

— J'espérais que vous ne m'obligeriez pas à vous le dire.

— Je ne bougerai pas tant que je n'aurai pas votre parole d'honneur.

— Ma parole d'honneur ?

— Votre parole que vous vous tiendrez tranquille.

— M. Cresap, vous vous oubliez.

— M. Landry, j'exige cette promesse.

— Monsieur, je n'ai pas d'ordres à recevoir de vous...

— Nom de Dieu, M. Landry, vous croyez que je plaisante ? Parlez, et tout de suite, **sinon moi je parlerai !** Et ils vous pendront par le cou !

— Monsieur, vous ne me laissez pas le choix.

— J'écoute.

— Je m'engage à ne pas me rallier...

— ...aux ennemis de ma patrie...

— ... aux Etats Confédérés d'Amérique.

— J'accepte cette formule.
— Eh bien, monsieur ?
— Je m'en vais, M. Landry.

Tournant les talons, je regagnai mon domicile. Dans la pièce de devant, je regardai au-dehors, et rien n'avait changé. Je me demandai si les nouvelles rapportées par Landry étaient bien vraies. Si elles l'étaient, cela pouvait signifier pas mal d'ennuis pour moi. Mais un grattement à la porte détourna le cours de mes pensées. Je fis entrer Mignon et l'accompagnai au salon. Elle me regarda fixement, sans dire un mot. Puis je grommelai :
— Qu'est-ce qui se passe ? On dirait que vous m'en voulez à mort.
— Willie, je ne vous reconnais plus.
— Pourtant, c'est bien moi, je n'ai pas changé.
— Comment avez-vous pu lui parler sur ce ton ?
— Vous ne vous en doutez pas un peu ?
— Pas le moins du monde.
— Dans ce cas, je pourrais aussi vous parler sur le même ton !
Là-dessus, elle se mit à m'accabler de reproches pour mon ingratitude :
— Après la façon dont il vous a traité, comme son propre fils, vous accueillant chez lui, me laissant vous préparer vos repas, vous associant à son affaire de coton...
— **J'en ai assez de ce foutu coton !**
— Il lui appartient toujours, vous savez !
— Ecoutez, je ne sais plus ce qui est à moi, ce qui est à lui ou ce qui est à la marine, mais je sais parfaitement qu'il s'est monté la tête tout seul avec ses histoires de guerre et de paix, cette Vie-en-Mort du *Vieux Marin*... Savez-vous seulement ce que c'était, Vie-en-Mort ? L'albatros pendu à son cou ? Savez-vous seulement ce que cela signifiait dans l'esprit de Samuel Taylor Coleridge, l'auteur du poème ?
— Mais de quoi parlez-vous donc ?
— C'était un mangeur d'opium !
— Quel rapport avec mon père ?
— Le coton, c'est son opium à lui ! Il a fini par se convaincre que dans cette mi-guerre mi-paix, c'est la loi de la jungle, chacun pour soi et Dieu pour tous ! Mais nous sommes bel et bien en guerre, seulement en guerre ! Et tout à coup, n'ayant pas la conscience tranquille, il laisse tout tomber pour aller voler au secours de la victoire, et il se croit dédouané. Mais le coton est toujours là, c'est à lui qu'il pense par-dessus tout, et il s'imaginait que tandis qu'il allait rejoindre Taylor, moi, je continuerais à

168

m'occuper de l'affaire et que je partagerais les bénéfices avec lui par la suite ! Eh bien, il se trompe ! Il lui faudra choisir son camp, il ne peut pas être des deux côtés à la fois ! Je vais continuer à l'aider, maintenant qu'il m'a donné sa parole, mais je n'aurais jamais aidé un Rebelle qui était prêt tout à l'heure à m'abattre comme un chien — attitude que, croyez-le, je n'apprécie qu'à moitié ! Je le lui ai déjà dit, et je vous le répète, ce coton sent mauvais, il pue, et j'attends avec impatience le moment où je n'en entendrai plus parler !

— Et son argent, **à elle,** il ne sent pas mauvais ?
— A elle ? A elle ?
— Vous savez très bien de qui je parle.
— Vous n'avez donc que cette femme en tête ?
— Jusqu'à ce que ce coton soit vendu, oui.
— Nous sommes en guerre ! Cette guerre vous concerne aussi.
— Je me moque bien de la guerre !
— Parfait. Au moins je sais à quoi m'en tenir.

Nous étions secoués de frissons. Il était bien loin, le merveilleux moment de notre petit déjeuner. Tout était sale, froid et amer.

XXIV

LA nouvelle était vraie : nos forces étaient démantelées et en pleine déroute. De jour en jour Alexandrie perdait son aspect de paisible port fluvial qu'embaumaient les premières fleurs du printemps pour redevenir un enfer peuplé de blessés, de chevaux agonisant dans les rues, d'épaves de bateaux coulés dans les rapides, baignant dans la puanteur de la mort, de la guerre et de la pourriture. Le danger restait suspendu au-dessus de nous, car si nous voulions quitter la place, Taylor n'aurait aucun scrupule à nous tuer. Ses troupes encerclaient la ville, et le nœud coulant se resserrait peu à peu ; les soldats progressant à l'abri des bois, les tirailleurs nous harcelant sans relâche. Il avait barré le fleuve pour interdire tout approvisionnement, et les restrictions commencèrent. Nous manquions également d'eau ; avec trente mille hommes de troupe et cinq mille chevaux entassés dans un espace prévu pour quatre mille personnes, sans autres réserves que les puits et les réservoirs qu'aucune pluie n'avait remplis depuis l'arrivée de Taylor et qui furent vite épuisés. Il nous restait l'eau de la Red River, mais elle était si polluée et méphitique que tous ceux qui en burent tombèrent gravement malades, ajoutant leurs miasmes à ceux pullulant déjà.

Mais le pire, c'était la sécheresse qui régnait au Texas et faisait baisser le niveau du fleuve, de sorte que nos bateaux s'envasèrent en amont des chutes, ce qui provoqua des retards considérables, l'armée étant obligée de faire halte pour tenter de les dégager. Il fut alors décidé de construire une digue de fortune au-dessus de la ville pour retenir les eaux dans l'espoir que les bateaux se remettent à flotter. L'idée me sembla si aberrante que je n'eus même pas le courage d'aller y voir. La vitesse du courant, que j'avais déjà jaugée en observant les souches flottantes, était d'au moins neuf milles à l'heure, et tenter de le retenir au moyen d'un entassement de branchages et de cailloux était aussi dérisoire que de vouloir attacher un éléphant avec une pelote de laine à tricoter. C'est pourtant ce qu'ils entreprirent. Des soldats noirs lancèrent un ponton depuis le quai du palais de justice, jusqu'à un endroit sur la rive gauche, de sorte que les équipes du génie puissent travailler simultanément des deux côtés du fleuve. Chaque jour, des bateaux franchissaient le chenal praticable, remorquant des barges chargées de pierres et de moellons, et dans les forêts d'alentour les bûcherons s'activaient du matin au soir, d'Alexandrie à Pineville.

Pendant ce temps, nous demeurions sans rien faire dans le salon ; cela dura trois semaines de plus, encore plus éprouvantes que les précédentes. Il s'était réconcilié avec moi le jour même de notre dispute, me remerciant pour le renseignement que Mignon lui avait rapporté au sujet de Samuel Taylor Coleridge :

— J'ignorais tout cela, mais je viens de vérifier dans l'*Encyclopédie Britannique*, et je vous en remercie.

Je lui dis que j'avais appris la chose au collège ; il me répéta que pour lui ces détails avaient une grande importance et qu'il se considérait comme mon obligé. Puis il m'invita à dîner, et je recommençai à prendre mes repas avec eux — heureusement, car l'hôtel était à court de nourriture et sinon je serais mort de faim. Nous ne mangions pas très bien, mais au moins nous subsistions sur les réserves du magasin, viande séchée, prunes, pommes et abricots, haricots, pois et riz qui remplissaient des caisses, des caques et des barils. Il m'interdisait de l'aider, descendait seul s'approvisionner et un jour, lorgnant les barils depuis la trappe, je me demandai ce qu'il y avait dedans au juste. Il sortait tous les jours pour aller aux nouvelles ; moi j'allais au palais de justice que l'on avait converti en hôpital. Là, au milieu de la puanteur des blessés et des agonisants, je demandais sans relâche des nouvelles de mon laissez-passer. Entre-temps, nous parlions tous les trois.

— Vous n'avez pas confiance dans cette digue ? me demanda-t-il un jour.

— Qui me pose cette question ? Un Rebelle loyal ?

— Non, M. Cresap, un loyal membre de l'Union. Et puisque vous abordez le sujet, je tiens à vous faire observer que la situation s'est modifiée depuis notre dernière discussion. La guerre, alors, n'était pas finie en Louisiane. Aujourd'hui, j'ai le regret de le dire, elle est terminée pour de bon. Je l'avais bien dit, n'est-ce pas, que j'étais un imbécile et non Taylor. Mais maintenant, ils lui ont arraché les dents et rogné les griffes. Taylor n'est plus qu'un tigre de papier à qui il ne reste guère plus de cinq mille hommes, qui font beaucoup de bruit avec leur artillerie, qui allument des feux dans la forêt et qui interceptent nos approvisionnements — depuis que Kirby Smith, le prétendu génie militaire de Shreveport a emmené le gros de ses troupes pour faire face à une autre « invasion » venant du nord, si tant est qu'elle se produise ! Si bien qu'au lieu d'affirmir notre prise d'Alexandrie, nous partons à la poursuite d'une chimère, et ma fidélité vous est acquise. Taylor a accompli un exploit fabuleux, mais il n'en est pas moins vrai qu'il n'y a plus un seul soldat Rebelle d'ici à Shreveport !

— Qu'est-ce que tout cela a à voir avec la digue ?

— M. Cresap, imaginez qu'elle ne tienne pas.

— Eh bien, nous perdrions dix bateaux, il me semble.

— Vous vous contenteriez de les abandonner sur place ?

— Pas moi, l'armée. Que pourrions-nous faire d'autre ?

— Peut-être que je suis fou, mais en tant que fidèle ami de l'Union, j'affirme — ne me contredisez pas — qu'aucune armée de l'Union n'a le droit d'abandonner cette ville en laissant dix bateaux derrière elle ! C'est impossible, les marins se mutineraient ! La seule chose que l'armée puisse faire est de marcher sur Shreveport, et de balayer Taylor, Kirby Smith et ses chasseurs de chimères, ainsi que tous les Rebelles qui se trouvent dans le secteur ! Parce que Shreveport est pour l'ouest ce que Richmond est pour l'est, une base, une source de nourriture, de tout ce qu'il faut pour alimenter une guerre ! C'est ce que peut et doit faire l'armée, aussitôt que le fleuve aura emporté ce barrage !

— Quoi d'autre, monsieur ?

— A Springfield, tout le monde compte les jours.

— Springfield ? Je croyais que vous parliez de Shreveport.

— Les deux villes ont la même importance pour nous — pour vous, pour moi, pour Mignon. Aucun contrat ne pourra être légalisé tant que la marine n'aura pas quitté le fleuve et amené ses témoins devant la cour. Rien ne sert de se précipiter pour l'instant. Vous avez tout le temps d'aller à Shreveport.

— Pourquoi Shreveport ?

— L'armée a pris Shreveport.

— C'est ce que vous dites, M. Landry. Et ensuite ?

— La marine, elle, ne l'a pas pris ?

— Evidemment non, puisque ses bateaux sont bloqués ici.

Il précisa que les marins, même désembourbés, seraient toujours bloqués par une énorme épave coulée dans le fleuve, le *News Falls City*, à l'embouchure du Loggy Bayou, et que c'était la première cause de leur volte-face, et non parce qu'ils avaient entendu dire que l'armée avait été décimée, comme ils l'avaient prétendu.

— Les bateaux ne peuvent s'extraire de la vase, et même s'ils y parviennent, ils ne pourront pas franchir l'épave. Ce qui signifie que Shreveport appartient à l'armée de terre, n'est-ce pas ?

— Très bien, et alors ?

— Ces gens font confiance à l'armée.

— Quelles gens, monsieur ?

— Les habitants de Shreveport. Ils ne brûleront pas leur coton.

— Encore un mot sur ce foutu coton et j'envoie tout promener !

— Vous enverriez promener un million de dollars ?

— Et **elle,** vous l'enverriez promener aussi ?

Elle était assise auprès de moi sur le sofa, lui en face de nous dans un fauteuil, laissant errer son regard sur le fleuve. Maintenant, elle me foudroyait des yeux ; elle se leva et alla vers son père. Dans sa robe à carreaux rouges, elle tomba à genoux devant lui, prit sa main dans les siennes et dit :

— Continue, père chéri. explique-nous comment obtenir ce million de dollars ! Oh, Seigneur, ce serait le paradis sur terre !

— Ouais, fis-je. Admettons que le coton soit intact. Alors ?

— Je peux l'acheter. J'ai de bons amis à Shreveport.

— Vous avez les moyens de l'acheter ?

— Je peux obtenir des titres de propriété, en partage. Dès qu'ils sauront que c'est l'armée qui mène le jeu, dès que je leur aurai affirmé que je suis bien en cour, ces gens me feront confiance. Mais j'ai besoin de deux choses.

— Très bien, et lesquelles ?

— La première, c'est du temps.

— Vous venez de dire que nous en avions.

— Vous en avez, pas moi. Je dois savoir exactement où j'en suis, de façon à préparer des papiers, des actes de vente, des contrats d'association avec diverses personnes, des reçus signés par l'armée. Il y a des milliers de balles là-bas, ça ne peut pas se faire en une heure ! Je dois partir là-bas très en avance, il faut que je sois sur place quand l'armée arrivera !

— La route est longue à pied, pour un homme de votre âge.

— Quelle route ? J'irai par bateau.

— Mais sur quel bateau, M. Landry ?

— Les bateaux Rebelles fonctionnent à nouveau, le *Doublon*, le

Grand Duke, bien d'autres. Quand l'Union s'est sauvée, le trafic fluvial a repris normalement. Je peux être à Shreveport demain, après-demain au plus tard.

— Que vous faut-il d'autre ?

— Un parrain, M. Cresap.

— Je croyais que tout était déjà réglé. Ce sera moi, le parrain ?

— Oui ! Et tout sera à votre nom ! Vous aurez le monopole du coton !

Il ajouta que maintenant que tous les autres négociants avaient été renvoyés à la Nouvelle-Orléans, il ne restait que moi, moi tout seul, et qu'ils seraient obligés de traiter avec moi. Puis il revint sur le barrage, la façon dérisoire dont il était fait.

— Leur idée est de réunir des troncs d'arbres deux par deux pour former des arcs-boutants, avec des planches clouées entre. On immerge le tout de façon que la pression du courant fasse adhérer le tout au fond, et cela s'est effectivement produit tant que le dispositif était proche de la rive, là où l'eau est peu profonde. Mais maintenant qu'ils approchent de la plus grande profondeur, le courant soulève ces troncs comme des fétus et les entraîne au-delà du pont. C'est à faire pitié, tant de travail pour rien...

— Vous savez à quoi vous me faites penser ?

— Allez-y, M. Cresap, dites-le-moi.

— A un homme qui veut jouer sur tous les tableaux : le tableau Rebelle, le tableau de l'Union et le tableau du Coton.

— Ce n'est pas moi qui ai déclaré cette guerre ! Ce que je propose est légal.

— Comprenez-vous que je suis obligé de rapporter vos paroles ?

Elle réagit violemment, mais lui se contenta de sourire :

— Je n'en attendais pas moins de vous ; en fait, c'est ce que je veux que vous fassiez, sinon vous ne voudrez jamais coopérer. Alors je vous en prie, allez voir votre ami le capitaine Dorsey et répétez-lui ce que je vous ai dit, **tout ce que j'ai dit,** particulièrement sur Kirby Smith. Et quand vous reviendrez, je suis convaincu que vous accepterez la discussion.

Elle revint près de moi, radoucie brusquement, et murmura :

— Vous irez, dites ? Voir le capitaine Dorsey ? Ecouter ce qu'il aura à dire ? Et nous le répéter ? Alors nous pourrons gagner un million de dollars... avoir notre maison à nous... et notre calèche... et...

— De toute façon, j'irai le voir.

Le *Faucon noir,* le navire-amiral, était à nouveau amarré au port, portant les stigmates des obus reçus sur le fleuve, et la sentinelle du bord alla chercher Dan. Je l'avais revu depuis son retour, mais fugitivement, et nous n'avions échangé que quelques phrases sans importance. Il voulut m'emmener dans la cabine, mais je préférais un endroit où nous serions seuls, et nous restâmes sur le pont, à l'abri d'une manche à air, accoudés au bastingage. Là il me donna sa version de la bataille, qui concordait avec celle de M. Landry.

— En réalité, il y a eu deux batailles. Une dans les bois, à Sabine Crossroads, de ce côté de Mansfield. Celle-là, nous l'avons perdue ; j'y étais. Ça a été un vrai massacre, rien ne pouvait être pire. Jules César l'avait pourtant écrit, que c'était une folie d'essayer de se battre avec les équipages en première ligne, mais personne n'a semblé s'en souvenir deux mille ans plus tard... Tous nos chariots de matériel et d'armement impossibles à remuer, tandis que les Rebelles nous mitraillaient... Les chevaux hennissaient et se cabraient, et les conducteurs ne pouvaient même pas se défendre ! Et il y avait aussi toutes ces filles noires, celles qui suivaient les hommes pour laver le linge, qui fouettaient leurs mules pour s'enfuir, en hurlant comme des folles : « Sauve qui peut, sauve qui peut ! Voilà l'Ange Exterminateur ! Il va tous nous massacrer ! » Malgré tout ce que les gens pourront dire plus tard, ç'a été une débandade ! Tu sais ce que chantent les Sudistes, n'est-ce pas ?

« En dix-huit cent soixante-et-un
Hurrah, hurrah !
Nous avons couru à Washington,
Hurrah, hurrah !
En dix-huit cent soixante-quatre
Nous avons couru à Grand Ecore
Et avons été aveuglés,
Johnny remplis mon quart ! »

Mais le lendemain, à Pleasant Hill, quand ils ont voulu nous exterminer, c'est nous qui les avons anéantis, Bill. Ne laisse jamais personne te dire le contraire ! C'est là qu'est la vraie tragédie ! Notre armée n'est pas vaincue — nous avons gagné à Pleasant Hill — mais **notre état-major l'est** ! Il s'est détruit lui-même à force de calomnie, de trahison, de laisser-aller et de bisbilles internes ! C'est cela qui nous démoralise ! Pas la défaite, mais la désunion ! Sur ce plan, ton ami Landry pourrait bien avoir raison. Nous pourrions très bien marcher sur Shreveport, au cas où ce barrage ne tiendrait pas. Nous savons que Kirby Smith a dispersé l'armée de Taylor. Il a envoyé Price avec six mille hommes pour intercepter Steele, qui est censé travailler pour nous, et cette armée est partie au diable quelque part en

Arkansas, elle ne risque pas de nous gêner. Je crois aussi qu'il n'y a aucune force Rebelle efficace entre Alexandrie et Shreveport.

— Admettons, mais qu'est-ce que je peux faire ?

— Bill, je te l'ai dit mille fois, ce sacré coton est maudit. C'est lui la cause de tous nos ennuis, la cause des dissensions entre les commandements de terre et de mer. S'ils n'avaient pas voulu remonter le fleuve pour aller récupérer ce coton, que convoite Landry, ils ne seraient pas où ils en sont aujourd'hui. Reste en dehors de ça ! Ne touche pas ce coton, même avec des pincettes !

— Je ne peux pas laisser tomber, je suis dedans jusqu'au cou.

Je lui parlai de Sandy, du reçu de la marine, de tout le reste. Il émit un sifflotement.

— Eh bien ! Tu es dedans, en effet. Alors, un peu plus, un peu moins...

— Je peux laisser faire Landry ?

— Au point où nous en sommes, pourquoi pas ?

— Et si l'armée n'arrive pas à Shreveport, Dan ?

— Si lui y arrive, tant mieux pour lui. Et pour toi.

— Ce ne sera pas considéré comme une trahison de ma part ?

— C'est bien ce que Lincoln avait voulu, non ?

XXV

QUAND je les rejoignis, je ne leur donnai pas mon accord formel, mais ils me sentirent ébranlé, et Mignon devint si douce qu'on lui aurait donné le Bon Dieu sans confession. Le lendemain matin, elle vint m'éveiller très tôt, se glissant contre moi et me murmurant des gentillesses entrecoupées de baisers. Elle finit par obtenir ma promesse, et j'allai voir Hager pour annuler ma demande de laissez-passer, car si je partais pour Shreveport, cela créerait toutes sortes de malentendus avec le grand Prévôt de là-bas quand il apprendrait que j'avais une autre demande en suspens à Alexandrie. Mais dès qu'il m'aperçut sur le seuil du palais de justice, il courut vers moi, se frayant un passage parmi les docteurs, les ordonnances et les blessés qui jonchaient le sol.

— Une surprise pour vous, Cresap ! Vous pouvez partir ! Le *Warner* lève l'ancre demain, et je me suis arrangé pour vous faire admettre à bord ! Et ce sera une vraie croisière ! Deux canonnières escorteront le bateau, vous serez comme un coq en pâte !

— Bravo, fis-je, j'adore me sentir important.

Ce n'était plus le moment de me récuser, d'autant que j'ignorais les intentions exactes de M. Landry. Il pouvait très bien vouloir que je parte, selon son principe de ne pas lâcher la proie pour l'ombre. S'il ne le jugeait pas nécessaire, je pourrais toujours me désister plus tard dans la journée. Alors j'entrai dans le jeu, demandai force détails, l'heure de départ du bateau — huit heures du matin — et comment je serais logé — dans une cabine de luxe. Mais ici, Hager tint à m'avertir :

— Ce voyage concerne le seul Cresap, il n'inclut ni une dame ni son aristocrate de père.

— Je vois ce que vous voulez dire.

— Vous embarquez ce soir. Tenez-vous prêt.

— Je serai ponctuel, capitaine.

— Je crois que vous ferez halte à Cairo. De là, vous pourrez rejoindre Springfield. Mais s'ils vous emmènent jusqu'à Cincinnati, ce sera aussi bien pour vous.

— Cincinnati me va aussi.

Cela convenait aussi à M. Landry, ainsi que je l'appris quand je fus revenu avec les nouvelles. Cela convenait aussi à Mignon. Shreveport fut totalement oublié, tant ils furent excités par la perspective de pouvoir enfin passer à l'action.

— Il faut savoir choisir, dit-elle, entre un million éventuel et cent vingt mille dollars certains, soixante mille pour mon père et soixante mille pour nous. Prenons ce que nous sommes sûrs d'avoir.

— Ma fille, rien n'est jamais sûr, particulièrement en temps de guerre, mais nous avons un maximum de chances d'avoir cet argent, c'est ce qu'il faut se dire.

Nous reparlâmes de notre mariage, d'aller voir le docteur Dow, le recteur épiscopalien et de faire bénir notre union le jour même, avant mon départ. Mais elle ne voulait pas se marier à Alexandrie.

— C'est ici que je me suis déjà mariée, et cela ne m'a guère porté bonheur.

Je crois qu'elle avait surtout honte d'épouser un nordiste ici où tout le monde la connaissait, à cause des commérages. Puis je m'inquiétai de leur sort dans l'avenir immédiat.

— Ne vous en faites pas pour nous, M. Cresap. Si, comme je le pense, l'Union réussit à atteindre Shreveport, cela mettra fin à la guerre dans l'ouest, et nous resterons ici jusqu'à ce que la navigation reprenne. Alors nous vous rejoindrons à Springfield, si vous le jugez utile. D'un autre côté si les choses tournent mal, Alexandrie sera reprise par les Rebelles, et nous n'avons rien à craindre d'eux, n'est-ce pas ? Nous irons vous rejoindre dès que possible.

Le problème serait de garder le contact, mais nous décidâmes qu'ils m'écriraient à la poste restante de Springfield, et que je leur écrirais comme je pourrais selon les nouvelles. Je demandai :

— Mon départ n'ennuie personne ?

— Si ! cria-t-elle. Nous deux !

— J'aime qu'on me regrette un peu.

Elle m'embrassa en présence de son père.

— Vous allez beaucoup me manquer, tout le temps, mais surtout le matin... Venez, je vais vous aider à faire vos bagages.

Mes paquets étaient prêts, mon sac bouclé, mon ciré et mon chapeau posés dessus. Nous étions assis, son père et moi, tandis qu'elle, dans la cuisine, me préparait des provisions au cas où la nourriture serait rare à bord. On frappa à la porte. Il alla ouvrir, et revint aussitôt accompagné de Sandy, qui semblait plutôt maussade, pour ne pas dire déprimé, et que je n'avais pas revu depuis ma visite à son chantier. Nous nous serrâmes la main, et il parut surpris quand je lui demandai si son bateau avait été embourbé.

— Plutôt. Il était tellement enfoncé dans la vase que nous avons dû le saborder !

— Oh ! Quand est-ce arrivé ?

— La semaine dernière.

— Sur quel bateau es-tu maintenant ?

— Nous avons été répartis un peu partout, en attendant de nouvelles affectations, et l'on m'a pris à bord du *Neosho*, un rafiot échoué en amont des rapides. Je continue à obéir aux ordres, c'est-à-dire à patauger comme une tortue d'eau autour de ce foutu barrage que nous sommes censés construire !

— Ça ne se présente pas trop bien, à ce qu'on dit.

— Ça ne se présente pas du tout.

Mignon entra, avec ses paquets de nourriture, dit bonjour et se mit à les tasser dans mon sac. Sandy observa cette opération et me demanda :

— Tu pars en voyage, Bill ?

Je lui parlai de mon départ sur le *Warner*. Il dit :

— Eh bien, dans ce cas, ce n'est plus la peine que je te parle.

Naturellement, j'insistai pour qu'il me dise le but de sa visite.

— Non, si tu as une occasion de filer d'ici, et surtout d'aller à Springfield, je n'ai pas le droit de t'en empêcher. C'est trop important, c'est l'unique moyen d'obtenir l'argent dont nous avons besoin, alors laissons tomber ce barrage qui est impossible à construire ! C'était une idée stupide.

Petit à petit, il finit par m'avouer qu'il était venu me demander de traverser le pont de fortune et de donner quelques conseils aux hommes de la rive gauche qui cafouillaient dans leur travail.

— De notre côté, ça peut encore se défendre. Pas trop, mais un peu quand même. Nous fabriquons des coffrages avec des troncs, nous les bourrons de pierres et les immergeons. Je ne peux pas certifier que ça retiendra longtemps les eaux, mais au moins ça ne bouge pas, ça ne part pas à la dérive. Mais en face, c'est une vraie maison de fous.

Il me parla des arcs-boutants, confirmant les dires de M. Landry, et reprit :

— Ils flottent, ils se brisent, et pas seulement à cause du courant. Ce sont les hommes, une bande de bûcherons du Maine. Tout ce qu'ils savent faire, c'est abattre des arbres, mais pour les assembler, bernique ! J'ai bien essayé de leur expliquer, mais ils ne veulent pas m'écouter, et je ne m'y connais pas tellement. Toi, tu es un spécialiste, et j'avais pensé que toi, ils t'écouteraient, c'est tout. Mais il faudrait que tu restes avec eux pour tout superviser jusqu'à la fin... Alors n'y pensons plus.

— Combien de temps ça prendrait ?

— Tout doit être gagné ou perdu en huit jours.

— Les bateaux passent ou c'est la famine ?

— Exactement. Huit jours.

— Le bruit court en ville qu'au cas où le barrage ne tiendrait pas, on irait à Shreveport par la terre.

— Pas la marine, s'il n'y a pas suffisamment d'eau !

— Je te parle de l'armée !

— Moi, je ne peux pas parler pour l'armée, je suis un marin !

Je réfléchis un moment, puis :

— Tu me prends au débotté. Je n'aurais jamais pensé pouvoir faire quelque chose. En principe, les militaires n'ont pas besoin des civils pour régler leurs problèmes. Je ne sais que te répondre...

— Répondre à quoi ? Je ne t'ai encore rien demandé.

— Ces choses-là, je n'attends pas qu'on me les demande.

— Vous auriez vraiment l'intention de faire **ça** ?

C'était Mignon, et sur ma réponse affirmative, elle explosa :

— Eh bien, Willie Cresap, tout ce que je peux dire, c'est que j'espère que vous allez vite vous faire une opinion !

Dans sa fureur, elle marchait de long en large, sa robe voltigeant autour d'elle.

— D'abord vous venez ici pour m'aider ! Ensuite, grâce à moi, grâce à mon père, grâce à Sandy, vous tournez casaque et décidez de trafiquer sur le coton, et nous nous associons avec vous ! Et maintenant, vous voulez fabriquer une digue ! Qu'est-ce que vous allez vouloir faire demain ? Cueillir des marguerites et ouvrir une boutique de fleuriste ? Ou bien acheter une canne à épée et un râteau de croupier pour vous mettre avec **l'autre** dans un tripot ? C'est peut-être ça que vous voulez vraiment, que vous avez toujours voulu ?

180

— Elle parle comme une véritable épouse, remarqua Sandy. Et les épouses finissent toujours par avoir raison.

— Je me le demande, fis-je.

M. Landry intervint alors, répétant les arguments de Sandy et non ceux de Mignon, mais en ajoutant quelques-uns de son cru. Outre ce flot de paroles, il y avait mon propre sentiment que cette histoire de barrage était rigoureusement stupide. Je ne peux absolument pas dire ce que j'aurais décidé si des coups n'avaient retenti à la porte. M. Landry alla voir, mais revint seul, disant qu'il n'y avait personne. Mignon lui lança un regard aigu, et leur attitude me sembla bizarre. Puis on frappa à nouveau, et tous deux firent comme s'ils n'avaient rien entendu. Du coup, je m'éveillai. Je me précipitai dans le couloir, mais n'achevai pas mon chemin jusqu'à l'entrée principale. Les coups provenaient de la trappe menant au magasin. Je me postai dans l'office, saisis mon revolver et criai :

— Montez, qui que vous soyez ! Les mains en l'air, je suis armé !

Alors une forme loqueteuse, crasseuse, squelettique apparut peu à peu, couverte d'une barbe grisâtre hirsute, clignotant de ses yeux aqueux. Je débarrassai ce spectre de son Navy Colt avant de le reconnaître... à ses guêtres.

C'était Burke.

— Vous connaissez tout le monde, lui dis-je assez fraîchement en le poussant dans le salon. Ne soyez pas si guindé, asseyez-vous, détendez-vous, faites comme chez vous.

— C'est ma maison ! lança M. Landry avec fureur.

— Alors, pourquoi ne l'accueillez-vous pas ?

— C'est vous, Frank ? Vous êtes méconnaissable.

— Aye ! grogna Burke d'une voix caverneuse. C'est bien moi, ou du moins l'ombre de moi-même. Je n'ai jamais réussi à atteindre la Sabine. J'ai été emmené à Shreveport sitôt après avoir franchi leurs lignes. Je n'ai échappé au massacre que par miracle ! Ça m'a coûté une véritable fortune, tout ce que j'avais sur moi ou presque !

Il était arrivé pendant la nuit, et, redoutant d'être surpris, s'était glissé dans le magasin par-derrière, utilisant sa clef, après s'être reposé quelques heures. Puis :

— Je suis revenu, Adolphe, à cause de ce que j'ai appris à Shreveport... c'est... c'est stupéfiant !

— Plus tard, Frank, cela peut attendre.

— Si vous aviez quelque chose à manger, je meurs de faim...

— Je vais vous chercher quelque chose, s'empressa Mignon.

— Pas si vite, m'écriai-je en lui barrant le passage.

Tous deux faisaient comme s'ils n'avaient pas vu Burke auparavant, mais il y avait eu cet échange de regards, et je savais qu'ils jouaient la comédie. Cela peut sembler stupide, mais j'éprouvais dans l'échine ce picotement qui ne m'avait jamais trompé. En un éclair, j'eus la vision très nette de ce qui allait se passer une fois que je serais au loin, et Burke ici sur place. Je continuai d'agiter mon revolver, tentant de recouvrer mon calme, mais près de la nausée. J'humectai mes lèvres, avalai ma salive et dis, avec beaucoup de mal pour trouver mes mots

— M. Landry... je comprends très bien maintenant... pourquoi personne ne semblait regretter mon départ. Il y avait quelqu'un pour prendre ma place... un autre parrain pour réclamer le coton de Shreveport... pour ramasser ce million de dollars... pourquoi vous inquiéter ?

— Vous parlez de moi ? siffla-t-elle.

— Je ne parle... de personne en particulier.

— Alors de qui ?

— De vous tous.

— Pas de moi ! fit Burke. Je me moque pas mal de vous !

— Vous, silence. Je vous dirai quand vous aurez la parole.

Sandy lança :

— Tu ne me mettais pas en cause, j'espère ?

— Mais si, justement. Toi en particulier.

Puis j'enfonçai le canon de mon revolver dans le bréchet de Burke :

— Quelles sont donc ces nouvelles « stupéfiantes » ?

Puis, comme il se taisait :

— Allez, parlez ! Crachez-moi ça !

— Les Rebelles... bégaya-t-il.

— Nous y voilà ! Les Rebelles ?

— Ils ont présumé de leurs forces ! Ils essaient maintenant d'encercler deux armées, alors qu'ils en tenaient une ! Ils ont divisé leurs hommes, ils ont laissé leur forteresse désarmée !... C'est tout ce que je sais, mon gars ! Je tenais à prévenir Adolphe.

— En quoi serait-il concerné ?

— Eh bien, il vit ici, après tout.

— Vous avez entendu dire que l'Union marche sur Shreveport ?

— Aye, si cette digue s'écroule, c'est ce qu'ils feront.

— Et alors, ils prendront le coton ?

— Ce coton, c'est le nerf de la guerre !

— C'est tout ce que je voulais savoir.

Je pris un temps, mon visage aussi contracté que celui de

Samson s'apprêtant à abattre les colonnes du Temple. Puis je dis, m'adressant à tous :

— Il n'y aura aucune marche sur Shreveport. Personne ne ramassera un million grâce au coton de Shreveport. **Parce que ce barrage sera construit !** C'est impossible, mais je le construirai quand même ! Alors, vous pouvez tous vous calmer ! Les nouvelles formidables de Burke viennent d'être effacées par une nouvelle encore plus extraordinaire de Cresap !

— Mais Bill, dit Sandy, tu t'en vas !

— Oh, que non ! Plus personne ne s'en va ! Parce qu'il n'y a plus aucune raison de partir ! Parce que le coton, cet hameçon du diable pour lequel nous avons tous vendu notre âme, ce coton sera brûlé !

— Non ! hurla Mignon.

— Pas mon coton à moi ? chevrota Burke.

— Tout le coton ! Ce sera ma surprise !

— Bill, tu ne peux pas faire ça ! dit Sandy.

— Je vais me gêner ! Passe-moi mon sac.

Personne ne bougea, mais je m'en saisis et reculai vers la cuisine. Ils me surveillaient tous, mais il est difficile de maîtriser un fou furieux armé d'un revolver. Il y eut une clameur de désespoir quand je fouillai dans mon sac et que j'en tirai la fameuse liasse de papiers dans leur vieille enveloppe de toile cirée. Je soulevai le couvercle du fourneau, flanquai l'enveloppe dans les flammes, puis repoussai la rondelle de fonte du bout de mon arme, sans me soucier des reproches de Sandy. J'attendis quelques instants, et quand je soulevai à nouveau le couvercle, il n'y avait plus que d'impalpables flocons noirâtres et recroquevillés. Je remis mon revolver dans son étui, et dis à Sandy :

— Viens, allons-nous-en !

M. Landry me dédia un regard venimeux, assorti d'une menace :

— Peut-être que vous construirez cette digue, mais elle ne tiendra pas longtemps, je vous le promets !

— Elle tiendra jusqu'à ce que la flotte puisse passer !

— Nous verrons bien, M. Cresap.

Suivi d'un Sandy muet de fureur, je regagnai mon appartement et y déposai mon sac. Quand je redescendis dans la rue, Mignon s'y trouvait avec son père, les yeux rétrécis de méchanceté, la bouche tordue. Je vis qu'elle préparait un crachat, et lui administrai sur la joue une claque qui l'envoya rebondir sur la façade du magasin Schmidt. Puis, accroché au bras de Sandy, j'allai aussitôt rendre mon laissez-passer au palais de justice. Ensuite, il m'accompagna jusqu'au barrage en construction.

XXVI

J E les fis travailler comme des bêtes de somme ; aucun ne rechigna, pas plus le 29ᵉ régiment du Maine, chargé de l'abattage des arbres, que les hommes de couleur du Corps d'Afrique, détachés comme manœuvres. Je me plaçai sous les ordres d'un certain Capitaine Seymour, dont Sandy m'avait parlé, dans les bois proches de Pineville où travaillaient diverses équipes, élaguant, sciant et coupant. Ce gradé n'en conçut aucun plaisir, malgré tout ce que lui avait dit Sandy de mon expérience, de mon passé d'officier et de ma bonne volonté.

— Je n'ai guère envie d'avoir un petit génie, installé à l'ombre les mains dans les poches, à me dire ce que je dois faire !

Il avait un accent du sud-est qui me déplaisait, et je rétorquai :

— Il n'est pas dans mes intentions de diriger de loin des hommes qui s'imbibent de flotte du matin au soir jusqu'à ce qu'elle leur sorte par les yeux !

— Quelle est donc votre intention ?

— Qu'est-ce que vous croyez ? Je veux me réengager.

— Dans ma division ?

— Vous y êtes, crétin.

— Malgré votre jambe ?

— Elle est habituée à servir.

Il appela un sergent fourrier :

— Un pantalon pour cet homme, grande taille et une vareuse s'il vous en reste une !

184

— Une chemise aussi, à tant faire.

— Et une chemise ! hurla-t-il.

Je me déshabillai et Sandy m'aida à enfiler mon uniforme bleu, tandis que Seymour me demandait plus aimablement :

— Très bien, Cresap. Maintenant, dites-moi ce que je fais de travers.

— Vous faites tout de travers !

— Mais encore ?

— Tout d'abord, je peux vous dire que vous mettez la pression, la tension et le courant dans le même sac, et que tout se contrarie.

— Hé, là, cessez de parler comme à l'école des travaux publics, expliquez-moi ça en langage clair.

— Ça vient. Ces arcs-boutants que vous fabriquez — que vous essayez de fabriquer — sont défectueux dès le départ. Vous abattez les arbres et attachez les troncs sur place, puis vous clouez vos bastaings dessus, après quoi vous traînez le tout pendant des centaines de mètres jusqu'à l'eau. C'est complètement stupide ; avant même d'être immergé, votre assemblage est aux trois quarts disloqué d'avoir été trimbalé à travers bois. Il ne peut pas tenir dans l'eau, il ne supporte pas la pression du courant quand vous l'arrimez avec vos cordages. Voilà pourquoi tout part à la dérive. Amenez les troncs au bord de l'eau d'abord. Ensuite assemblez votre arc-boutant ! Consolidez-le avec de bonnes entretoises ! Sciez des planches de quatre pieds de long, taillez-y des encoches et encastrez-les. Ça résistera à la compression. Puis sanglez tout ensemble et serrez les cordes avec des tourniquets ! Et ça résistera à la tension.

— Et où va-t-on trouver ces foutus cordages ?

— Sur les bateaux, dit Sandy. Il y en a tant qu'on en veut.

— Continuez, me dit le capitaine.

— Vous n'avez plus qu'à clouer les panneaux, et ça fonctionnera.

— J'ai compris. Bon, eh bien, nous...

— Bon Dieu, laissez-moi terminer !

— Excusez-moi, Cresap. Quoi d'autre ?

— Quand tout cela sera fait, quand le coffrage sera prêt à être immergé, encochez les souches de ces arbres, et installez-y une élingue, quelque chose où l'on puisse attacher une écoute, de sorte que les bateaux puissent vous aider. Quelque chose pour retenir le coffrage, afin que vous puissiez le manier sans qu'il vous entraîne !

— ... Autre chose ?

— Divisez vos hommes en équipes, chargée chacune d'un travail bien précis. Comme ça, au lieu de traîner à droite et à gauche et de faire la sieste sous les arbres, ils sauront que faire et le feront. Si une équipe ne comprend pas l'anglais, incorporez-y un interprète. Faites ça rationnellement, bon Dieu !

— Vous avez déjà dirigé une équipe ?

— Même un enfant saurait le faire.

— Nous n'avons guère eu de chance avec ces hommes.

— C'est parce que, au lieu de leur expliquer ce que vous voulez, vous leur faites de grands discours sur Lincoln, pour leur dire à quel point il les aime. Ils se foutent bien de Lincoln, tout ce qui les intéresse, c'est leur gamelle, et qu'on leur dise quoi faire !

— Vous allez le leur dire ?

— Il me semble que je vous le dirai d'abord, à vous.

Nous nous mîmes d'accord, puisque je venais de m'engager comme simple soldat, que je lui donnerais les ordres et qu'il les transmettrait, mais au bout d'une heure à peine, c'est moi qui faisais tout, dirigeais les équipes, gueulais et jurais en même temps. Le tout, je dois l'avouer, avec un certain succès. Je ne prétends pas que j'ai construit le barrage de la Red River. C'est le colonel Joseph Bailey, d'une compagnie du Wisconsin, qui s'en attribua tout le mérite et assuma le commandement. Mais je peux affirmer qu'avant mon arrivée, tout allait mal et que les choses s'arrangèrent par la suite.

Au coucher du soleil, nous avions six piles en place, que pour plus de sûreté, j'ancrai par des croisillons destinés à leur donner plus d'assise et contrarier leur tendance à flotter. Les marins travaillaient farouchement de leur côté, et Sandy était partout à la fois, tantôt sur un bateau, tantôt sur un autre, s'occupant des filins, des cabestans et des barges qui nous apportaient des pierres, des briques, des rochers, des roues de moulins, tout ce qui pouvait servir de lest pour nos coffrages. Le troisième soir, alors que je dévorais ma ration de haricots devant le feu, Sandy vint me trouver avec une expression toute différente de celle, assez peu amicale, qu'il me réservait depuis quelque temps. Prenant une large inspiration, il me dit :

— Bill, je tiens à m'excuser.

— Tiens ! Et pourquoi donc ?

— Toutes sortes de choses. Tu es au courant pour le *Warner* ?

— Le bateau que je devais prendre ? Non. Que s'est-il passé ?

— Il a été coulé.

— Aïe ! Par les Rebelles ?

— Oui, et pas seulement lui mais aussi le *Covington*, et aussi le *Signal* et aussi le *City Belle*, un bateau qui arrivait avec des troupes fraîches. Des quantités d'hommes sont morts, et ce

186

désastre s'ajoute aux autres. Mais ce qui me tourmente, c'est que tu aurais pu mourir aussi. Je ne me le serais jamais pardonné. C'est pourquoi, je tenais à te dire toute mon estime, Bill. Tu as brûlé ces papiers avant le départ du *Warner*... Et tu m'as expliqué pourquoi. A elle aussi.

— Ne me parle pas d'elle, tu veux ?

— Très bien, mais elle a sûrement des ennuis.

— Quels ennuis ?

— Une mort. Je l'ai vue suivre un enterrement.

— Quand ça, Sandy ?

— Ce matin. Le *Forest Rose* s'était mis en panne sur le fleuve quand le corbillard est passé en haut du ravin, suivi par quelques personnes. C'était assez pathétique, il n'y a plus de chevaux, tu sais, du moins pour les Rebelles. M. Landry tirait le corbillard d'un côté par l'un des brancards, et ce Burke tirait l'autre. Elle suivait derrière, dans sa petite robe noire, vraiment plaisante à voir, avec le vent qui lui caressait ses mignonnes petites fesses...

— Ne me parle plus d'elle, ni de son cul !

— Bill, tu es toujours amoureux de cette fille.

— Jamais de la vie ! Tout ce que je souhaite, c'est de ne plus jamais la revoir.

— Tu l'es. Si tu ne l'étais plus, tu serais le premier à me dire que son petit cul m'appartient si je réussis à l'attraper. Eh bien, pour te parler franchement, si ce n'était pas pour toi, je lui...

— Tu veux que je te casse la gueule ?

— ... Est-ce que tu sais qui est mort ?

— Ça m'est complètement égal.

— Moi, j'aimerais bien le savoir...

Deux jours plus tard, le barrage était achevé, et nous n'avions que trop bien réussi. Le niveau de l'eau avait monté d'au moins cinq pieds, atteignant presque le sommet des chutes, et suffisamment, aurait-on cru, pour y faire évoluer une caravelle. Mais la marine exigeait encore plus de fond, et comme aucun arc-boutant ne pouvait être installé au milieu du courant, nous fîmes immerger six coffres identiques à ceux de l'autre rive, et la marine les emplit de pierres. Cela n'étant pas encore suffisant, la marine amena des piliers par groupes de trois reliés par des madriers et amena quatre barges qui furent arrimées aux piliers par des aussières. Le niveau monta encore, et je regardai, le souffle court, cette gigantesque construction qui tremblait sous l'énorme pression qu'elle emprisonnait. C'était comme une lutte de titans, dont l'un devrait finir par céder. Les soldats commencèrent à crier que c'était le moment ou jamais pour la flotte de se mettre en route.

Ils construisirent un feu, un brasier géant de troncs de sapins, dont les flammes, nourries de résine, embrasèrent le ciel comme un défi infernal. L'idée était de donner suffisamment de lumière pour que les bateaux puissent se guider dessus, mais nous ne vîmes rien venir, et le bruit courut à travers bois que la marine manquait de vapeur. C'était la goutte d'eau qui faisait déborder le vase, et les cris de joie devinrent des cris de fureur.

Pourtant, nous avions réussi. Le capitaine et moi sirotions un café bien mérité devant le feu quand Sandy surgit hors d'haleine. Nous étions dans un tel état d'esprit que tout ce qui ressemblait de près ou de loin à un marin nous paraissait haïssable, aussi fut-il accueilli sans amabilité. Mais quand il nous eut expliqué, d'un ton cassant, que si les bateaux n'étaient pas venus, c'est que « notre imbécile de feu avait aveuglé tous les pilotes » cela mit fin à toute discussion.

Un peu plus tard, il me prit à part.

— Bill, ce n'est peut-être qu'une idée que je me fais, mais quelque chose m'inquiète.

— Dis-moi ce que tu as sur le cœur.

— Mon bateau, le *Neosho*, est amarré plus haut sur la rive droite, et bien sûr, nous n'avons pas d'homme de vigie, mais un matelot était dans le poste de pilotage, en train d'astiquer les cuivres, et il a vu passer un canot, une espèce de yole à fond plat qui semblait dériver. Puis tout à coup il ne l'a plus vu.

— Il aurait disparu ?

— C'est ça. Un moment il était là, et l'instant d'après, il n'y était plus.

— Il a pu aborder quelque part où des buissons l'ont caché.

— Peut-être, peut-être.

— Et qu'a fait ton marin ?

— Il a averti l'équipage.

— Et qu'est-ce qui te tracasse exactement ?

— Bill, je n'arrive pas à me sortir de la tête les menaces de Landry, l'autre jour. Il ne parlait pas pour ne rien dire, c'était sérieux. Et je crois qu'il a un bon motif pour que ce barrage soit démoli !

— Un motif d'un million de dollars.

— Représentant le stock de coton de Shreveport ?

— Il peut mettre la main dessus avec le parrainage de Burke.

— A condition que la marine reste bloquée ici et que ce soit l'armée qui reprenne Shreveport pour sauver la face ?

— C'est ce que nous aurions déjà dû faire, intervint le capitaine, rageur.

— Tu as tout compris, Sandy.

188

— Supposons que ce Landry ait un canot, qu'il l'ait dissimulé en amont dans les buissons, rempli de poudre ? Il n'aurait qu'à détacher l'amarre pour que le tout vienne exploser contre notre barrage !

— Cette éventualité ne m'a pas échappé, fit le capitaine.

— Il en serait bien capable, murmurai-je.

— Tout ça, c'est très joli, ajouta Sandy, mais où se procurerait-il suffisamment de poudre ?

Je bondis :

— Dans son magasin ! Les barils ! Les explosifs dont il se sert pour essoucher les terrains ! Hé oui, l'enterrement, c'était ça ! Le cercueil était rempli de barils de poudre ! Capitaine, m'autorisez-vous à fouiller les alentours avec Sandy ?

— Oui, et je vais avec vous.

XXVII

IL accrocha à son ceinturon un Colt 44 à six coups dans son étui. Puis comme je n'avais pas d'arme sur moi, il me confia un Colt identique emprunté à un lieutenant. Appelant le sergent fourrier, il se fit apporter une lanterne réglementaire, mais ne l'alluma pas pour l'instant. Ces préparatifs prirent environ une demi-heure, et il était presque neuf heures quand lui, Sandy et moi entreprîmes notre recherche du canot. Depuis le temps, nous connaissions tous les bois comme le fond de notre poche, mais à la lueur dansante du feu, les ombres mouvantes prenaient des allures étranges, fantasmagoriques. Mais ce qui frappa Sandy, ce fut le peu de sentinelles que nous rencontrâmes.

— Ça me glace les sangs, dit-il tout à coup. Des bivouacs partout, des milliers d'hommes au travail sur ce barrage, et rien qu'une ou deux misérables sentinelles pour surveiller...

Le capitaine ne se laissait pas démonter aussi facilement par un marin :

— Vous savez ce que ça signifie, une sentinelle ? Ce n'est ni un poteau ni une boîte à lettres qu'on peut planter n'importe où et oublier ensuite ! C'est un homme, qu'il faut relever toutes les six heures, ce qui implique chaque fois une garde, quatre hommes et un caporal, un endroit pour qu'il dorme et une popote pour le nourrir. Nous ne pouvons pas couper nos hommes en quatre !

Ils continuèrent à s'asticoter, armée contre marine, mais il faisait trop noir et le terrain était trop accidenté pour que je

190

m'intéresse vraiment à leur discussion. Nous atteignîmes l'endroit où l'on avait aperçu le canot, juste en face du *Neosho* qui était brillamment illuminé et d'où provenaient les accents d'un banjo, non loin de l'épave du vapeur *Woodford*. Mais nous ne découvrîmes pas l'ombre d'une yole et poursuivîmes notre chemin. Au bout de plusieurs centaines de mètres, nous franchîmes une passerelle jetée au-dessus d'un torrent, le Rock Creek, il me semble, qui descendait d'une hauteur, Spanish Hill, vers le fleuve. Pendant cette traversée, mes narines captèrent une odeur caractéristique, l'arôme sucré et capiteux d'un cigarillo et je savais qui le fumait... Je chuchotai au capitaine Seymour de rester où il était et d'allumer sa lanterne. Puis je dis à Sandy de prendre une rive du torrent ; je prendrais l'autre et nous le ratisserions chacun de notre côté jusqu'au confluent. Mais le capitaine étant armé inversa les positions et accompagna Sandy qui tenait la lanterne. Nous nous mîmes à ramper pour couvrir les deux cents mètres séparant la passerelle du fleuve. Dans le ciel, au-dessus des arbres, subsistait encore la clarté du feu, mais en bas, dans le lit du torrent, il faisait noir comme dans un tunnel. Puis tout à coup, j'entendis le capitaine dire avec le plus grand calme :

— Le canot est là, j'entends l'eau clapoter contre la coque. Gregg ! La lanterne, vite !

— Aye ! fit Sandy. J'arrive !

Le rayon lumineux découvrit le canot échoué sur un banc de sable, solidement amarré à une souche. Mais je vis surtout deux grands yeux affolés dans un beau visage livide. Landry et Burke étaient accroupis dans un fourré tout proche, mais ce qui me glaça le sang dans les veines, c'était la fatale, l'épouvantable présence de Mignon.

— Voyez-vous ça ! Une torpille flottante !

La voix du capitaine trahit son émotion. Il tint les prisonniers en respect. Nous nous approchâmes pour examiner la machine infernale dans la lumière. C'était une barcasse banale, à fond carré, à la proue de laquelle se trouvaient quatre barils, ficelés deux par deux. Dans la bonde étaient fichés des bouchons munis de capsules de cuivre. Dépassant de l'avant, fixée dans l'un des tolets d'aviron, une sorte d'éperon en bambou, auquel étaient attachées quatre pointes, fines tiges de fer disposées en face des capsules. Un ressort détendu contrôlait l'éperon. A l'autre extrémité du canot, un énorme paquet de chaînes fixé au moyen de cavaliers pouvait servir à bloquer le gouvernail de façon que le bateau une fois lancé ne puisse dévier dans sa course vers le barrage.

— Le système est bien monté, fit le capitaine. Pas étonnant qu'il leur ait fallu la journée pour le mettre au point.

Il se tourna vers Sandy :

— Lieutenant Gregg, je ne suis pas organisé pour surveiller cette bande de saboteurs, j'ai besoin de tous mes hommes pour veiller auprès du barrage, pouvez-vous emmener ces gens sur votre bateau ?

— Je vais demander des ordres.

Puis, regardant le canot et son contenu :

— Mais il me semble plus urgent, avant de nous occuper d'eux, de désamorcer cette bombe. Au moindre choc, elle risque d'exploser.

— Ce n'est pas à nous de prendre ce risque. C'est à **eux** !

Il se tourna vers Landry et Burke qui n'avaient pas ouvert la bouche. Il rugit :

— Vous, là-bas, montez sur ce canot et désarmocez le système ! Enlevez d'abord le détonateur et les pointes.

— Dans ce cas, vous feriez mieux de reculer, dit Landry.

— C'est bien notre intention !

Le capitaine avisa alors Burke, qui n'avait pas fait un mouvement. Il le menaça de son arme :

— Vous aussi ! Montez dans le canot et aidez-le !

— Je ne suis pas mécanicien, mon brave homme !

— Non ? Eh bien, c'est le moment d'apprendre !

— Désarmons-le d'abord, suggérai-je.

— C'est juste, j'aurais dû y penser.

Il fouilla Landry sans découvrir d'arme sur lui, palpa rapidement Mignon, puis se tourna vers Burke. Le geste de celui-ci fut si rapide qu'aujourd'hui encore je ne pourrais jurer l'avoir vu saisir son arme. J'ouvris la bouche pour crier, mais le capitaine fit feu le premier, et il s'abattit dans le lit du torrent, la tête dans un trou d'eau. Mignon hurla, puis, étrangement, se mit à murmurer. Je ricanai :

— Parlez plus fort, il ne vous entend pas !

J'aurais mieux fait de m'arracher la langue : elle priait.

— Je n'aime pas beaucoup ça, grommela le capitaine.

Tout le monde se tut. Pendant un moment, dans le froid de la nuit, l'on n'entendit plus que le chuchotement de Mignon, le clapotis de l'eau sur les flancs du canot, l'écume déferlant sur le cadavre de Burke. Puis, d'une voix tendue, proche de l'hystérie, le capitaine cria à Landry :

— Vous ne m'avez pas entendu ? Démontez-moi cette saloperie de torpille !

— Désolé, c'est impossible.

192

— Vous refusez ?

— Dans le fond, si vous tenez à mourir...

Landry n'était nullement impressionné par le revolver pointé sur lui. C'est avec un intérêt tout scientifique qu'il expliqua ce qu'il fallait faire : il était impossible de toucher à la torpille sans la faire exploser.

— Je vais vous montrer pourquoi, dit-il tout en pataugeant vers le canot.

Mais il ne nous désigna pas les barils, ne s'approcha même pas de l'avant trafiqué du bateau. Simplement, il souleva l'extrémité pendante de la chaîne et d'une violente poussée, lança le canot sur la Red River ! Je vis l'éclair, j'entendis la détonation. Il me sembla avoir vu M. Landry s'écrouler à côté de Burke, mais je ne pensais qu'à une seule chose : cet abominable engin destructeur que le courant entraînait vers notre barrage, les barils prêts à exploser, la chaîne d'attelage maintenant le gouvernail. Sans même chercher à savoir qui avait été tué, je me jetai dans le courant, me débattant, de l'eau à hauteur de poitrine, pour tenter désespérément d'attraper le canot, la chaîne, de faire n'importe quoi pour éviter la catastrophe. Puis, à ma profonde terreur, à la lueur du feu lointain, je vis une extrémité du canot heurter un rocher à fleur d'eau. A ce moment, mes mains atteignirent le plat-bord. Je m'accrochai, luttant de toutes mes forces pour renverser le canot, pour précipiter ces barils de poudre dans l'eau avant que le détonateur ne touche quoi que ce soit. Puis tout à coup, je sentis le canot chavirer. Le danger était écarté. Je lâchai tout, me laissai entraîner par le courant et me sentis soudain éclater en mille morceaux quand ma mauvaise jambe heurta un rocher. J'entendis des hurlements sortir de ma gorge, puis plus rien que mes oreilles qui bourdonnaient. Des branches me griffèrent le visage, la lumière de la lanterne se posa sur moi. Il y avait un youyou près de la rive, si proche que j'aurais pu le toucher, et j'étais entouré de marins. Puis je perçus le parfum du Cuir de Russie, et Mignon serra ma tête contre sa poitrine.

— Parle-moi, Willie, dis quelque chose.

— Oui... tout va bien.

— Embrasse-moi. Embrasse-moi !

— ... Devant tout le monde ?

— Willie, ils vont me mettre en prison pour ce que j'ai essayé de faire ! Peut-être que tu ne me reverras jamais ! Embrasse-moi, je t'en supplie, dis-moi que tu m'aimes !

— Tu le sais bien, que je t'aime.

Nous échangeâmes un baiser. Un baiser long, tendre et passionné.

Le capitaine nous éclairait avec sa lanterne ; à voir ses vêtements trempés, je compris qu'il m'avait tiré de l'eau. Une fois que les matelots eurent fait monter Mignon dans le youyou et que celui-ci se fut éloigné vers la rive opposée, il me traîna jusqu'au bivouac, où il demanda une ambulance pour me conduire au palais de justice :

— Là-bas les médecins prendront soin de vous, et ça m'étonnerait beaucoup que vous ne soyez pas démobilisé tout de suite, vu l'état où vous êtes.

Mais aucune ambulance ne venant, il me déshabilla, en fit autant et mit nos affaires à sécher sur une corde devant le feu. Il m'enveloppa d'une couverture, en prit une pour lui et se reposa un moment. Puis il me demanda à brûle-pourpoint :

— Cette fille, qu'est-elle pour vous ?

— Sauf par le nom, elle est ma femme.

— Elle va avoir de foutus moments.

— Et elle le sait foutrement bien.

— Pourtant, grâce à vous, elle a une chance de s'en tirer.

— Qu'est-ce que j'ai à voir là-dedans ?

— Vous avez détruit la seule preuve contre elle.

— Oh ! Vous voulez dire le canot ?

— Et la poudre, et les amorces, et le détonateur.

— Qu'est-ce que vous vouliez que je fasse ? Laisser la torpille détruire le barrage uniquement pour que Mignon soit pendue ? Qu'est-ce qui est le plus important, pour ceux de la marine, leurs bateaux ou la vie d'une pauvre fille ?

— Hé, là ! J'essayais simplement de vous remonter le moral !

— Désolé, je ne suis pas au mieux de ma forme.

— Je vous disais qu'elle mériterait d'être pendue, mais qu'elle ne le sera sans doute pas.

— Rien n'est de sa faute. C'était son père et...

— Oh, ça va ! Bouclez-la et calmez-vous.

Ainsi, à la fin de cette épouvantable nuit, il me restait quand même une lueur d'espoir. Tout aurait pu être pire. Nous eûmes quand même une alerte, et je fus convaincu que la torpille, même coulée, venait de faire sauter le barrage, quand deux barges rompirent leurs amarres avec un bruit de canon et allèrent se fracasser sur des rochers en contre-bas. Le capitaine se mit à jurer et à se lamenter, certain que tout était détruit et que le niveau des eaux allait redescendre. Ce fut à mon tour de le réconforter, l'assurant que la pression ayant atteint son maximum, le débit allait se stabiliser et que plus rien ne pouvait ébranler le barrage. Il me serra la main avec effusion, vérifia que nos vêtements étaient secs et nous nous rhabillâmes. Au lever du jour, une ambulance arriva enfin, mais il la fit attendre, et m'aida à me traîner le long d'une coursive, jusqu'à l'une des barges qui avaient résisté. Il tenait à ce que j'assiste au spectacle de la flotte en marche.

— C'est bien la moindre des choses, après tout ce que vous avez fait !

Il m'installa au bord du chenal, cramponné à un pilier. A perte de vue, les deux rives étaient bleues ; à l'exception des hommes de garde, l'armée entière s'était assemblée pour assister à la manœuvre — que personne ne croyait vraiment possible. Les hommes grouillaient, s'interpellaient avec excitation, mais on aurait dit un spectacle de mime. Le rugissement du torrent tout proche couvrait tous les autres bruits, comme un nouveau Niagara. Puis, vers sept heures, on distingua une fumée au-dessus des rapides. Une coque apparut, l'étrave couverte d'écume. Cela signifiait que le pilote forçait la vapeur, et le capitaine se mit à hurler :

— Non ! Non ! Stoppez les machines ! Renversez la vapeur !

Le pilote, bien sûr, ne risquait pas de l'entendre. Je lui criai dans les oreilles :

— Il a besoin de toute sa puissance, sinon il ne pourra pas gouverner !

J'ignore s'il comprit ce que je lui disais. Le bateau approchait à la vitesse d'un train express, sa vitesse de quinze milles à l'heure augmentée d'autant par celle du courant. Il arriva très vite, et fut soudain sur nous, s'approchant de la chute, dans un rugissement infernal, si proche que nous sentîmes le vent de la course. Puis il bascula en avant, percutant à l'arrivée l'une des barges qui s'étaient écrasées là pendant la nuit. Un instant on put croire qu'il allait se fracasser, mais il ricocha et reprit son erre juste en face de l'hôtel. Alors il lança un coup de sirène victorieux.

Il y eut une acclamation assourdissante, la chose la plus encourageante que j'aie jamais entendue. Oubliant mon état d'épuisement, je vociférai avec les autres. Le capitaine brailla, puis m'étreignit et me donna l'accolade. Plus rien ne pouvait arrêter la joie générale. Un autre bateau descendit, et les hommes continuèrent à danser, à rire, à acclamer et à s'envoyer de grandes claques dans le dos. Puis, tout à coup, une fumée plus épaisse annonça l'arrivée d'un autre bateau, très bas sur l'eau, qui devait être le monitor (1). J'écarquillai les yeux, le cœur bondissant dans ma poitrine, car sur le pont, un tissu noir flottait au vent, qui était une robe. Je me mis à gesticuler comme un dément,

_____

(1) Monitor : cuirassé de fort tonnage. (N. du T.)

et, du bateau, on me répondit. Le bateau fut bientôt tout près, et je pus distinguer le visage de Mignon, ruisselant d'embruns. La chose se produisit brutalement. J'appris par la suite que l'amiral avait puni le pilote, l'accusant de sabotage, mais je peux affirmer qu'il n'en est rien. Le poste de pilotage d'un monitor est placé derrière la tourelle, et je suis certain qu'il n'a vu la chute qu'au tout dernier moment, alors que le bateau était déjà dessus. Il dut alors perdre son sang-froid et lâcher la vapeur dans un moment de panique, au moment crucial. La machine perdant de sa vitesse devint la proie du courant et fit une embardée. Le bateau prit la vague de fond par l'arrière. Elle balaya le pont. Les hourras se muèrent en cris d'épouvante. Pendant que le bateau hors de contrôle dévalait la chute, je vis mon amour, ma vie, mon adorable petite Mignon, précipitée dans l'eau boueuse, cherchant son souffle, son regard angoissé fixé sur moi.

J'empoignai le plat-bord, prêt à plonger, mais on m'agrippa par le cou, on me rejeta en arrière sur la barge.

— Non ! me hurla le capitaine. Vous êtes déjà à moitié mort !

— Lâchez-moi, je dois la sauver !

— Vous vous prenez pour Jonas ?

Le bateau percuta la barge, ricocha, reprit son assise et lança son coup de sirène comme les autres, tandis que je hurlais de toutes mes forces, essayant de me faire entendre par-dessus tout ce vacarme :

— Arrêtez votre sale sirène, et allez la chercher !

Le capitaine voulut m'apaiser :

— Ne vous inquiétez pas, ils vont mettre un canot, ils la sauveront. Ils savent ce qu'il faut faire.

Mais rien ne pouvait me calmer, et il dut se battre avec moi pour me ramener sur la rive, et me pousser dans l'ambulance. D'autres bateaux franchirent les chutes, mais je ne les vis pas. J'étais prostré sur la couchette de l'ambulance, le corps secoué de sanglots déchirants. Je finis par m'évanouir.

XXVIII

SANS importance, les journées passées au palais de justice avec ma jambe qui avait doublé de volume et devenait noire et bleue, tandis que toute une armada de bateaux franchissait la passe. Sans importance l'incendie d'Alexandrie, la monstrueuse pagaille qui s'ensuivit, et mon abominable transport par le fleuve. On me fit passer de bateau en bateau, sans même que je m'en rende compte. J'avais perdu la tête, en partie à cause de mes souffrances mais surtout de l'incertitude où j'étais sur le sort de Mignon, vivante ou morte. Sans importance aussi l'interminable voyage en ambulance pour aboutir à un hôpital de fortune en aval de la Nouvelle-Orléans et la semaine que j'y passai à me tordre de douleur sur un lit de camp. Une fois, j'ouvris les yeux et Olsen était à mon chevet, relevant les noms des blessés du Maine, pour, me dit-il, les envoyer à son journal dans le nord. Il me bombarda de questions. Je ne lui en posai qu'une seule : pouvait-il obtenir des nouvelles de Mignon ? Il me promit de se renseigner et de revenir m'en donner ; je ne devais plus jamais le revoir. Puis un jour, un sous-lieutenant vint m'apporter ma feuille de démobilisation, et un groom de l'hôtel Saint-Charles m'aida à m'habiller. Il m'avait apporté mon vieux sac, celui que j'avais laissé en consigne à l'hôtel avant mon départ. Je redécouvris le plaisir des sous-vêtements propres, d'une chemise bien repassée. J'enfilai mon vieux costume noir. Quand je lui demandai qui l'envoyait, il me dit qu'il n'en savait rien, et je jugeai inutile de discuter avec lui.

Il m'aida à monter dans un fiacre qui me déposa à l'hôtel. Je retrouvai mon ancien appartement, sans la moindre idée de ce que je faisais là, sans savoir qui je devais remercier.

Il me restait un peu d'argent, mon portefeuille ne m'ayant pas quitté durant mes pérégrinations, mais on ne me présentait jamais ma note quand je la demandais. Quelqu'un la payait pour moi, c'était évident, mais qui ? Je supposai, un certain temps, que c'était Dan, car il venait me voir tous les jours — le général avait retrouvé son cher état-major après avoir été relevé du front. Mais quand — entre deux supplications pour qu'il me trouve des renseignements sur Mignon — j'abordai ce sujet avec lui, il parut si stupéfait que je n'insistai pas. Mes soupçons changèrent alors d'objet, mais il m'était impossible de les vérifier pendant qu'on opérait ma jambe. Elle enflait, on l'incisait, elle enflait à nouveau, si bien que le chirurgien me dit un jour :

— Je vais être obligé de laisser l'incision ouverte. Le malheur, c'est que cette jambe n'a pas été entièrement traversée, de sorte que l'ouverture fait office de poche qui retient le pus et interdit toute cicatrisation. Il va falloir drainer toute cette putréfaction. Je vais ouvrir votre jambe par en dessous afin que le pus s'écoule à mesure. La force de gravité va travailler pour nous, dorénavant.

Je lui dis de faire ce qu'il fallait, ce qu'il fit, assisté d'un autre médecin. Après avoir étendu une toile cirée sur mon lit, ils me charcutèrent consciencieusement. Je ne souffrais pas beaucoup, sinon d'un abus de laudanum. Cette drogue finit par attaquer mes poumons, je ne sais comment, si bien qu'ils s'affaiblirent, m'interdisant de respirer à fond. Je restais à haleter et étouffer pendant des heures, luttant pour retrouver mon souffle. Cette paralysie finit par disparaître, me laissant dans un état d'abrutissement total. Je pensais que tout irait bien, mais je ne pouvais que dormir. Puis, un matin, en ouvrant les yeux, je découvris Sandy dans son uniforme bleu, nettoyé et repassé. Assez nerveux, il me parla de son récent transfert au quartier général de la Nouvelle-Orléans.

— Les combats sont pratiquement terminés, de ce côté-ci.

— Et Mignon ?

— Dan ne t'a rien dit ?

— Simplement qu'il ne savait rien.

— Il a sûrement voulu t'épargner...

— Ils ne l'ont jamais retrouvée ?

— Hélas non. Nous avons passé toute une journée à sonder les rapides, pas seulement pour elle mais pour un marin perdu, Cassidy, qui la cherchait et dont le canot s'était retourné. On n'a retrouvé aucun cadavre.

Se levant, il me tapa sur l'épaule, se dérouilla les jambes en égrenant des choses de circonstance, celles qu'un ami dit à un homme qui vient de recevoir un coup dur. Je finis par soupirer :

— Eh bien, voici la fin de notre petite aventure.

— A la Nouvelle-Orléans ?

— Bien sûr, Sandy.

— Tu veux laisser tomber ?

— Avec quoi pourrions-nous continuer ? Avec l'air du temps ?

— Je regrette de t'avoir embarqué dans cette histoire.

— J'étais d'accord, je ne te reproche rien. Mais j'en ai assez de la Nouvelle-Orléans, il faut que je quitte cette ville.

Abandonnant le passé pour m'occuper de l'avenir, je repris :

— Tu vas me rendre un service. J'ai l'argent pour rentrer chez moi, et même un peu plus, mais pas suffisamment pour régler ma note d'hôtel, les frais d'hôpital et le reste. Quelqu'un a tout payé à ma place, anonymement, et je voudrais que tu ailles voir la femme qui, je le sais, s'est occupée de tout.

Je lui donnai les quelques renseignements qui lui permettraient de retrouver Marie.

— Je veux que tu ailles la voir, que tu apprennes exactement ce qu'elle a dépensé pour moi, et que tu lui certifies que je la rembourserai dès que je serai rentré à Annapolis. Si jamais elle manifestait l'envie de revenir avec moi, dissuade-la gentiment. Je ne m'en sens pas capable. C'est une femme adorable, merveilleuse, avec un cœur énorme, et qui a les moyens de payer pour moi. Mais je pleure une morte, et cette morte n'aimerait pas que j'accepte l'aide d'une autre femme. Tu veux bien te charger de tout cela ?

— Je ferai de mon mieux, Bill.

Je restai plusieurs jours sans le voir, et pendant ce temps je fis suffisamment de progrès pour pouvoir m'asseoir. Mes forces revenaient. J'avais réussi à atteindre sans aide le canapé du salon, et je lisais le *Times* quand on frappa à la porte.

— Entrez, c'est ouvert.

J'attendais la femme de chambre, mais c'est Marie qui ouvrit la porte. Elle arborait une robe d'été toute blanche avec une grande capeline de paille, et portait une brassée de fleurs liées d'un ruban blanc. Je voulus me lever pour l'accueillir, mais elle me repoussa sur le sofa, puis s'assit, ses fleurs auprès d'elle, et me prit dans ses bras.

— Guillaume, vous allez mieux ?

— Je suis en pleine forme, mentis-je, grâce à vous j'imagine, et il faut que nous parlions sérieusement.

— Non, s'il vous plaît. Parlons de moi d'abord.

— Eh bien... que devenez-vous ?

— Vous pouvez me féliciter. Je suis *mariée* !

— Vous voulez dire « mariée » ?

— Oui, Guillaume. Vous n'êtes pas trop fâché ?

— Fâché ? Je suis si heureux que j'en pleurerais !

— *Alors, alors, alors...*

Elle se leva comme pour gagner la porte mais je la saisis, l'embrassai et l'embrassai encore.

— C'est une nouvelle merveilleuse, Marie... surtout pour moi qui vous avais si mal traitée...

— Ne parlons pas de ça ! Vous étiez amoureux d'une femme exceptionnelle, mi-poupée, mi-tigresse, alors où est le mal ? Mais, *petit,* vous ne me demandez pas le nom de mon mari ?

— Très bien, quel est cet heureux mortel ?

Elle alla ouvrir la porte. Je m'attendais à voir entrer son garde du corps, ou Dumont, ou quelque autre homme qu'elle ait connu avant de me rencontrer, mais ce fut Sandy qui se présenta, avec un sourire un peu contraint, son costume de chez Lavadeau brillant comme un sapin de Noël. Je fis :

— Ça, alors !

— Eh oui, Bill, c'est moi.

— Excuse-moi, les bras m'en tombent.

Il s'installa dans un fauteuil, très satisfait de lui-même tandis qu'elle reprenait sa place auprès de moi, ravie de ma réaction, débordante de gentillesse et de douceur. Elle dit :

— Alexandre est venu me trouver avec votre message. Il fallait en discuter, bien sûr, alors nous sommes allés faire un tour à Jackson Square. Nous avons pris le café dans le Carré Français. Nous n'en avions pas terminé, alors nous nous sommes revus le lendemain, pour déjeuner chez Antoine... Le temps passait vite. Nous sommes allés dîner, puis au théâtre. *Ensuite* nous sommes retournés à Jackson Square, et de fil en aiguille... ce matin, nous sommes passés à l'hôtel de ville et... pardon, je suis essoufflée.

— Il y a encore autre chose ?

— Un simple détail, fit Sandy. Elle va t'expliquer.

— Cresap *et* Gregg !

— Gregg et Cresap, corrigea-t-il.

— *Cresap et Gregg !* insista-t-elle en frappant du pied. Celui qui a dompté un fleuve pourra sûrement en dompter un autre, et nous connaissons le nom de ce dompteur !

— Comme tu voudras, chérie : Cresap et Gregg !

— Mais de quoi parlez-vous donc ? m'enquis-je.

— D'une affaire de vingt-cinq mille dollars, lança Marie.

— Bill, me dit Sandy d'un ton solennel, tu n'as pas besoin de rentrer chez toi à moins que tu ne le veuilles vraiment. Je ne t'ai parlé de rien parce que j'ignorais tout moi-même de cet argent, sinon cette pique que t'avait lancée Mignon un jour, mais je n'avais pas fait le rapprochement. Marie elle-même ne m'en a pas soufflé mot avant notre mariage. Mais aussitôt après, elle m'a fait cette suggestion, et c'est le principal motif de notre visite.

— Marie, fis-je, maintenant je sais que je vais pleurer !

Chaque matin, je lis attentivement dans les journaux les mises à prix des fournitures de l'armée, inscris la liste des matériaux qui peuvent nous intéresser, et vais me porter acquéreur. Je fais livrer l'outillage à un entrepôt que nous avons loué sur le front de mer. L'après-midi, je rédige dans un cahier d'écolier tout ce que je me rappelle des heures passées avec Mignon, essayant d'expliquer comment tout s'est déroulé exactement, de sorte que plus tard, quand je relirai ces notes, elles adouciront ma souffrance. C'est la nuit qui me fait peur. J'éteins la lumière, je me mets au lit, je me force à dormir. Puis j'ouvre les yeux, et elle vient me voir, flottant à travers les murs, les cheveux humides, les joues glacées, elle me prend les mains et me raconte comment elle a échappé à la mort ; comment elle a réussi à nager jusqu'au rivage, jusqu'à Biossat, jusqu'au pont, jusqu'à l'église catholique en bas de la ville ; comment elle a été cachée par des amis sûrs, de sorte que la marine n'a pas su la retrouver ; comment enfin, si je lui en laisse le temps, nous nous retrouverons un jour, une fois la guerre finie. Alors je me mets à gémir, j'essaie de lui expliquer que j'ai tout fait pour la sauver mais qu'on m'en a empêché. Je suis de plus en plus bouleversé, et alors elle disparaît, à travers la muraille, me faisant signe de la main comme sur le pont du monitor.

Oui, la malédiction m'a rencontré à Red River et ne m'a jamais abandonné depuis. C'est elle qui dort auprès de moi.

Achevé d'imprimer
en août mil neuf cent quatre-vingt-un
sur les presses de l'Imprimerie Gagné Ltée
Louiseville - Montréal.
Imprimé au Canada